O Livro
da Dor e do Amor

J.-D. Nasio

O Livro
da Dor e do Amor

Tradução:
Lucy Magalhães

10ª reimpressão

Copyright © 1996 by J.-D. Nasio

Tradução autorizada da primeira edição francesa publicada em 1996 por Éditions Payot & Rivages, de Paris, França, na coleção Désir/Payot dirigida por J.-D. Nasio

Título original
Le livre de la douleur et de l'amour

Capa
Sérgio Campante

cip-Brasil. Catalogação-na-fonte
Sindicato Nacional dos Editores de Livros, rj

N211c   Nasio, Juan-David
O livro da dor e do amor / J.-D. Nasio; tradução, Lucy Magalhães. — 1ª ed. — Rio de Janeiro: Zahar, 1997.
(Transmissão da Psicanálise)

Tradução de: Le livre de la douleur et de l'amour.
Inclui bibliografia
isbn 978-85-7110-406-8

1. Psicanálise. 2. Dor. 3. Amor. i. Título. ii. Série.

97-1081
cdd: 616.8917
cdu: 159.964.2

[2021]
Todos os direitos desta edição reservados à
EDITORA SCHWARCZ S.A.
Praça Floriano, 19, sala 3001 — Cinelândia
20031-050 — Rio de Janeiro — rj
Telefone: (21) 3993-7510
www.companhiadasletras.com.br
www.blogdacompanhia.com.br
facebook.com/editorazahar
instagram.com/editorazahar
twitter.com/editorazahar

*O amor é uma espera
e a dor
a ruptura súbita e imprevisível
dessa espera.*

Sumário

Clémence ou a travessia da dor   9

*

Liminar   15

*

A Dor psíquica, Dor de amar   23

*

Arquipélago da Dor   55

*

A Dor corporal: uma concepção psicanalítica   67

*

Lições sobre a Dor   111

A Dor, objeto da pulsão sadomasoquista   115
A Dor na reação terapêutica negativa   130
A Dor e o grito   145
A Dor do luto   158

*

Excertos das obras de Freud
sobre a Dor corporal,
precedidos de nossos comentários   169

*

Excertos das obras de Freud e Lacan
sobre a Dor psíquica,
precedidos de nossos comentários   181

*

Indicações bibliográficas
sobre a Dor   197

*

Notas ao conjunto dos capítulos   205

*

Índice geral   211

CLÉMENCE
OU
A TRAVESSIA DA DOR

Quanto mais se ama, mais se sofre.

*

Perder o ser que amamos.

*

O amado cujo luto devo realizar é aquele que me satisfaz parcialmente, torna tolerável minha insatisfação e recentra meu desejo.

*

A presença em fantasia do amado no meu inconsciente.

*

A pessoa do amado.

*

A presença real do amado no meu inconsciente.

*

A presença simbólica do amado no meu inconsciente.

*

A presença imaginária do amado no meu inconsciente.

*

A Dor do enlouquecimento pulsional.

*

Resumo das causas da Dor psíquica.

Clémence[1] tinha trinta e oito anos. Sofria de esterilidade e lutava para tornar-se mãe. Estava em análise comigo há três anos. Ainda me lembro muito bem do dia em que, informando-me de que enfim estava grávida, exclamou: "Conseguimos!" Senti então que eu compartilhava a felicidade de um grupo de pessoas próximas que, com Clémence, se mobilizara para conseguir essa gravidez. Pensei no seu marido, tão presente, e no seu ginecologista, um excelente especialista em esterilidade.

Durante os meses seguintes, as sessões foram essencialmente dedicadas a viver e a dizer esse período intenso em que uma mulher descobre que vai ser mãe. Chegou a hora do parto e Clémence deu à luz uma criança maravilhosa. Naquele dia, ela telefonou, radiante, para me participar o nascimento de um menino chamado Laurent. Também fiquei feliz e cumprimentei-a calorosamente. Três dias depois, tive a surpresa de receber um segundo telefonema completamente diferente. Com voz surda e abafada, quase inaudível, ela disse: "Perdi o meu bebê. Morreu hoje de manhã na clínica. Não sabemos como aconteceu." Ouvindo essas palavras terríveis, fiquei paralisado e só pude dizer: "Não é possível! É absurdo!"

Durante algum tempo, Clémence não se manifestou. Seu silêncio não me surpreendia, porque sabia, por experiência, como a pessoa enlutada, abatida pelo golpe de uma perda violenta, recusa-se categoricamente a encontrar-se com aqueles que, antes do drama, estavam ligados ao desaparecido. Até imaginei que minha paciente fosse interromper a análise, porque eu estava inevitavelmente associado à sua luta pela fecundação, ao sucesso da gravidez, à felicidade do nascimento, e agora à dor atroz de uma perda brutal e incompreensível. Talvez ela desistisse de continuar comigo o seu atual caminho analítico, para retomá-lo mais tarde com outro profissional. Era necessário, pensei, que imperativamente o seu mundo mudasse. Ora, a realidade foi diferente.

Com efeito, pouco tempo depois desse acontecimento trágico, Clémence voltou. Esgotada, estava incapaz de locomover-se sozinha, e tiveram que acompanhá-la até a sala de espera. Indo ao seu encontro, vi uma mulher transformada pela desgraça. Não era mais do que um corpo impessoal, extenuado, esvaziado de qualquer força, agarrando-se apenas às imagens onipresentes do bebê, em todas as cenas em que ele ainda estava vivo. Seu corpo encarnava perfeitamente o eu exangue do ser sofredor, um eu prostrado, suspenso à lembrança muito viva do filho desaparecido; lembrança martelada por uma pergunta obsessiva: "De que ele morreu? Por que, como ele morreu? Por que aconteceu comigo?"*

Sabemos que esse estado de dor extrema, mistura de esvaziamento do eu e de contração em uma imagem-lembrança, é a expressão de uma defesa, de um estremecimento de vida. Também sabemos que essa dor é a última muralha contra a loucura. No registro dos sentimentos humanos, a dor psíquica é efetivamente o derradeiro afeto, a última crispação do eu desesperado, que se retrai para não naufragar no nada. Durante todo esse período, que se seguiu imediatamente à morte de Laurent, ouvi muitas vezes Clémence dizer que tinha medo de ficar louca. E, em certos momentos, ela até parecia louca. Às vezes, a aflição da pessoa enlutada dá lugar a tais impulsos de exaltação em que as imagens demasiado claras e distintas do morto são vividas com a nitidez de uma alucinação.

Entretanto, todo o meu saber sobre a dor — naquela época, eu já estava escrevendo este livro — não me protegeu do impacto violento que recebi ao acolher a minha paciente logo depois do acidente. Naquele momento, o nosso laço se reduziu a podermos ser fracos juntos: Clémence, arrasada pelo sofrimento, e eu sem acesso à sua dor. Eu ficava ali, desestabilizado pela impenetrável infelicidade do outro. As palavras me pareciam inúteis e fiquei reduzido a fazer eco ao seu grito lancinante. Sabia que a dor se irradia para quem escuta. Sabia que, em um primeiro momento, eu tinha apenas que ser aquele que, só por sua

---

* Laurent morreu no berçário, no meio da noite, enquanto Clémence dormia. Foi o seu obstetra — o mesmo que tornara possível a gravidez e fizera o parto — que, na manhã seguinte, lhe participou o falecimento, sem poder lhe apresentar explicações. Hoje, Clémence e seu marido continuam a ignorar a causa exata da morte do filho.

presença — mesmo silenciosa — podia dissipar o sofrimento ao receber as suas irradiações. E que essa impregnação aquém das palavras poderia, justamente, inspirar-me as palavras adequadas para expressar a dor e acalmá-la enfim.

Após esse período de alguns meses, em que recebi Clémence frente a frente, e quando a minha escuta se limitou a acompanhar o melhor possível as flutuações da sua infelicidade, ela retomou a sua posição no divã. Foi então que ela pôde começar, verdadeiramente, o seu trabalho de luto; trabalho marcado por uma sessão determinante, que desejo evocar aqui.

Clémence tinha horror de ouvir as palavras de consolo que, nessas circunstâncias, ocorrem tão facilmente aos amigos e próximos: "Não se atormente! Pense em uma nova gravidez. Você ainda tem tempo. Tenha outro filho e você verá que vai esquecer!" Essas palavras inábeis lhe eram profundamente insuportáveis e a punham fora de si. Eu compreendia a veemência da sua reação, porque essas frases supostamente reconfortantes eram efetivamente um apelo ao esquecimento, uma incitação a suprimir pela segunda vez o filho morto. Uma incitação a perdê-lo de novo, não mais na realidade, mas "no coração". Como se, revoltada, Clémence gritasse para o mundo: "Perdi meu filho e sei que ele não voltará mais. Sei que ele não está mais vivo, mas ele continua a viver em mim. E vocês querem que eu o esqueça! Que ele desapareça pela segunda vez!" Pedir a Clémence que esquecesse o filho morto, substituindo-o por outro antes de realizar o seu luto, só podia violentá-la. Era pedir-lhe que não mais amasse a imagem do bebê desaparecido, e logo que se privasse do único recurso capaz de amenizar a dor e, finalmente, que renunciasse a preservar o seu equilíbrio psíquico. A imagem do ser perdido não deve se apagar; pelo contrário, ela deve dominar até o momento em que — graças ao luto — a pessoa enlutada consiga fazer com que coexistam o amor pelo desaparecido e um mesmo amor por um novo eleito. Quando essa coexistência do antigo e do novo se instala no inconsciente, podemos estar seguros de que o essencial do luto começou.

Eu não estava pensando em todas essas considerações teóricas quando, durante uma sessão que ocorreu cerca de oito meses depois do falecimento, interferi de uma maneira que se revelou decisiva. Clémence estava no divã e me falava com o tom de alguém que acabava de reencontrar o gosto pela vida. Eu estava muito concentrado na escuta e, no momento de intervir, pronunciei estas palavras, quase mecanicamente: "... porque, se nascer um segundo filho, quero dizer um irmão ou irmã de Laurent..." Antes que eu pudesse terminar a frase, a paciente me interrompeu e exclamou surpreendida: "É a primeira vez que ouço dizer 'o irmão ou irmã de Laurent'! Tenho a impressão de que um enorme peso foi tirado de mim." Ocorreu-me então uma idéia que eu logo comuniquei à minha paciente: "Onde quer que Laurent se encontre agora, estou certo de que ele ficaria feliz de saber que um dia você lhe dará um irmãozinho ou irmãzinha." Eu também estava surpreso de ter expresso espontaneamente, em tão poucas palavras, o essencial da minha concepção de luto, segundo a qual a dor se acalma se a pessoa enlutada admitir enfim que o amor por um novo eleito vivo nunca abolirá o amor pelo desaparecido. Assim, para Clémence, o futuro filho que talvez nasça nunca tomará o lugar do seu irmão mais velho, hoje falecido. Ele terá o seu próprio lugar, o lugar que o seu desejo, o desejo dos seus pais e o seu destino lhe reservam. E, simultaneamente, Laurent continuará sendo, para sempre, o insubstituível primeiro filho.

LIMINAR

Desejei abrir este livro com um fragmento de análise, ou melhor, um fragmento de vida, que põe em presença dois seres: o que sofre e o outro que acolhe o sofrimento. Uma mãe devastada pela perda cruel de um primeiro bebê tão esperado e tão brutalmente desaparecido. E um psicanalista que tenta dar sentido a uma dor que, em si mesma, não tem nenhum sentido. Em si, a dor não tem nenhum valor nem significado. Ela está ali, feita de carne ou de pedra, e no entanto, para acalmá-la, temos que tomá-la como a expressão de outra coisa, destacá-la do real, transformando-a em símbolo. Atribuir um valor simbólico a uma dor que é em si puro real, emoção brutal, hostil e estranha, é enfim o único gesto terapêutico que a torna suportável. Assim, o psicanalista é um intermediário que acolhe a dor inassimilável do paciente, e a transforma em uma dor simbolizada.

Mas o que significa então dar um sentido à dor e simbolizá-la? Não é, de modo algum, propor uma interpretação forçada da sua causa, nem mesmo consolar o sofredor, e menos ainda estimulá-lo a atravessar a sua pena como uma experiência formadora, que fortaleceria o seu caráter. Não; dar um sentido à dor do outro significa, para o psicanalista, afinar-se com a dor, tentar vibrar com ela, e, nesse estado de ressonância, esperar que o tempo e as palavras se gastem. Com o paciente transformado nessa dor, o analista age como um bailarino que, diante do tropeço de sua parceira, a segura, evita que ela caia e, sem perder o passo, leva o casal a reencontrar o ritmo inicial. Dar um sentido a uma dor insondável é finalmente construir para ela um lugar no seio da transferência, onde ela poderá ser clamada, pranteada e gasta com lágrimas e palavras.

*

Ao longo destas páginas, gostaria de transmitir o que eu próprio aprendi, isto é, que a dor mental não é necessariamente patológica; ela baliza a nossa vida como se amadurecêssemos a golpes de dores sucessivas. Para quem pratica a psicanálise, revela-se com toda a evidência — graças à notável lente da transferência analítica — que a dor, no coração do nosso ser, é o sinal incontestável da passagem de uma prova. Quando uma dor aparece, podemos acreditar, estamos atravessando um limiar, passamos por uma prova decisiva. Que prova? A prova de uma separação, da singular separação de um objeto que, deixando-nos súbita e definitivamente, nos transtorna e nos obriga a reconstruir-nos. A dor psíquica é dor de separação, sim, quando a separação é erradicação e perda de um objeto ao qual estamos tão intimamente ligados — a pessoa amada, uma coisa material, um valor, ou a integridade do nosso corpo — que esse laço é constitutivo de nós próprios. Isso diz como o nosso inconsciente é o fio sutil que liga as diversas separações dolorosas da nossa existência.

Vamos estudar a dor, tomando como exemplo a aflição que nos afeta quando somos golpeados pela morte de um ser querido. O *luto* do amado é, de fato, a prova mais exemplar para compreender a natureza e os mecanismos da dor mental. Entretanto, seria falso acreditar que a dor psíquica é um sentimento exclusivamente provocado pela perda de um ser amado. Ela também pode ser dor de *abandono*, quando o amado nos retira subitamente o seu amor; de *humilhação* quando somos profundamente feridos no nosso amor-próprio; e dor de *mutilação* quando perdemos uma parte do nosso corpo. Todas essas dores são, em diversos graus, dores de amputação brutal de um objeto amado, ao qual estávamos tão intensa e permanentemente ligados que ele regulava a harmonia do nosso psiquismo. A dor só existe sobre um fundo de amor.

*

A dor psíquica é um sentimento obscuro, difícil de definir que, mal é apreendido, escapa à razão. Assim, a sua natureza incerta nos incita a procurar a teoria mais precisa possível do mecanismo daquilo que causa dor. Há nisso como que um desafio de querer demarcar um afeto que se esquiva ao pensamento. Pude constatar quanto a literatura analítica era extremamente limitada nessa área. Os próprios Freud e Lacan apenas raramente abordaram o tema da dor e nunca lhe dedicaram um estudo exclusivo.

Assim, vou tentar expor uma metapsicologia da dor. Uma metapsicologia porque é a única abordagem teórica satisfatória para explicar detalhadamente o mecanismo de formação da dor psíquica.

Antes de começar, quero estabelecer alguns preliminares e dizer aos meus leitores que a dor — física ou psíquica, pouco importa — é sempre um fenômeno de limite. Ao longo destas páginas, verão como ela emerge constantemente no nível de um limite, seja o limite impreciso entre o corpo e a psique, seja entre o eu e o outro, ou, principalmente, entre o funcionamento bem regulado do psiquismo e o seu desregramento.

Outra observação inicial se refere ao vocabulário que utilizarei para distinguir dor corporal e dor psíquica. Essa distinção, embora necessária para a clareza do meu objetivo, não é rigorosamente fundada. Do ponto de vista psicanalítico, não há diferença entre dor física e dor psíquica. A razão disso é que, como acabamos de antecipar, a dor é um fenômeno misto que surge no limite entre corpo e psique. Quando estudarmos a dor corporal, por exemplo, veremos que, exceto os seus estritos mecanismos neurobiológicos, ela se explica essencialmente por uma perturbação do psiquismo. Acrescente-se ainda que o modelo da dor corporal, esboçado por Freud no início da sua obra e que retomaremos depois, esclareceu surpreendentemente a nossa concepção de dor psíquica.

Outra precisão terminológica diz respeito à diferença entre as palavras "sofrimento" e "dor". Classicamente, esses termos se distinguem da seguinte maneira: enquanto a dor remete à sensação local causada por uma lesão, o sofrimento designa uma perturbação global, psíquica e corporal, provocada por uma excitação geralmente violenta. Se a dor é uma sensação bem delimitada e determinada, o sofrimento, ao contrário, é uma emoção mal definida. Mas essa distinção esquemática se torna caduca a partir do momento em que precisamos com rigor a formação de uma dor corporal e o fator psíquico que intervém nela. Foi o que tentamos fazer explorando o eu que sente dor com os instrumentos da metapsicologia freudiana. Assim sendo, o termo sofrimento se revelará demasiado vago para o leitor, e o de dor, ao contrário, parecerá preciso e rigoroso. Então, preferi privilegiar a palavra "dor" e conferir-lhe um estatuto de conceito psicanalítico.

Última observação preliminar. A fim de melhor situar a nossa abordagem, desejo propor uma visão de conjunto da dor dividida em três grandes categorias. Antes de tudo, a dor é um *afeto*, o derradeiro afeto, a última muralha antes da loucura e da morte. Ela é como que um estremecimento final que comprova a vida e o nosso poder de nos recuperarmos. Não se morre de dor. Enquanto há dor, também temos as forças disponíveis para combatê-la e continuar a viver. É essa noção de dor-afeto que vamos estudar nos primeiros capítulos.

Em seguida, segunda categoria: a dor considerada como *sintoma*, isto é, como a manifestação exterior e sensível de uma pulsão inconsciente e recalcada. Vamos tomar o caso exemplar de uma dor no corpo, que revela a existência de um sofrimento inconsciente. Penso nessas enxaquecas histéricas, persistentes, flutuantes ao sabor de situações afetivas e sem causa detectável. Pois bem, diremos que a enxaqueca é um sintoma, isto é, uma sensação dolorosa que traduz uma comoção recalcada no inconsciente. Incluo nesse conjunto todas as dores qualificadas pela medicina atual como dores "psicogênicas". Se consultarmos uma das muitas publicações médicas recentes dedicadas à dor, encontraremos inevitavelmente uma contribuição, em geral muito curta, sobre a dor psicogênica. O que significa esse qualificativo de "psicogênica"? Designa as diversas dores corporais sem causa orgânica detectável e às quais se atribui, por falta de melhor explicação, uma origem psíquica.

A terceira e última categoria psicanalítica da dor remete à perversão. Com efeito, trata-se da dor como *objeto e alvo do prazer sexual* perverso sadomasoquista. Desenvolveremos esse tema nas duas primeiras *Lições sobre a dor*.

*

Concretamente, vamos proceder da seguinte maneira: Depois de abordarmos a dor psíquica propriamente dita, apresentaremos uma concepção psicanalítica da dor corporal. Mas, antes, devemos identificar as diferentes etapas da formação de qualquer dor.

Quer se trate de uma dor corporal provocada por uma lesão dos tecidos ou de uma dor psíquica provocada pela ruptura súbita do laço íntimo com um ser amado, a dor se forma no espaço de um instante. Entretanto, veremos que a sua geração, embora instantânea, segue um processo complexo. Esse processo pode ser decomposto em três tempos: começa com uma *ruptura*, continua com a *comoção* psíquica que a ruptura desencadeia, e culmina com uma *reação* defensiva do eu para proteger-se da comoção. Em cada uma dessas etapas, domina um aspecto particular da dor.

Assim, aparecem sucessivamente: uma dor própria da ruptura, depois uma dor inerente ao estado de comoção, e enfim uma dor suscitada pela defesa reflexa do eu em resposta ao transtorno. Evidentemente, essas três dores na realidade são apenas os diferentes aspectos de uma só e mesma dor, formada instantaneamente.

Durante o nosso percurso, seja para aprofundar a dor corporal ou a dor psíquica, respeitaremos esses três tempos: tempo da ruptura, tempo da comoção e tempo da reação defensiva do eu.

*

Aqui, quero desde já propor a premissa maior de nossa teoria da dor.

Nossa premissa:
a dor é um afeto que reflete na consciência as variações extremas da tensão inconsciente, variações que escapam ao princípio de prazer.

Um sentimento vivido é, segundo pensamos, a manifestação consciente do movimento ritmado das pulsões. Todos os nossos sentimentos exprimem na consciência as variações de intensidade das tensões inconscientes. Postulo que a dor manifesta não oscilações regulares da tensão, mas um enlouquecimento da cadência pulsional. Mas por que caminhos as pulsões se tornam sentimentos vividos? O eu consegue perceber no fundo de si mesmo — no seio do Isso — e com uma extraordinária acuidade, as variações das pulsões internas, para repercuti-las na superfície da consciência sob forma de afetos.

Assim, o eu é realmente um intérprete capaz de ler no interior a língua das pulsões e traduzi-la no exterior em língua dos sentimentos. Como se ele possuísse um órgão detector orientado para o interior, servindo para captar as modulações pulsionais e transpô-las para a tela da consciência, sob forma de emoções. Quando essas modulações são moderadas, elas se tornam conscientes como sentimentos de prazer e de desprazer; e quando elas são extremas, tornam-se dor.

Habitualmente, o funcionamento psíquico é regido pelo princípio de prazer, que regula a intensidade das tensões pulsionais e as torna toleráveis. Mas se ocorre uma ruptura brutal com o ser amado, as tensões se desencadeiam e o princípio regulador de prazer se torna inoperante. Enquanto o eu, voltado para o interior, percebia as flutuações regulares das pressões pulsionais, podia sentir sensações de prazer e desprazer; agora que ele percebe no seu interior o transtorno das tensões incontroláveis, é dor que ele sente. Embora desprazer e dor pertençam à mesma categoria dos sentimentos penosos, podemos distingui-los nitidamente e afirmar: *o desprazer não é a dor*. Ao passo que o desprazer exprime a autopercepção pelo eu de uma tensão elevada mas passível de ser modulada, a dor exprime a autopercepção de uma tensão incontrolável em um psiquismo transtornado. O desprazer é pois uma sensação que reflete na consciência um aumento da tensão pulsional, aumento submetido às leis do princípio de prazer. Em contrapartida, a dor é o testemunho de um profundo desregramento da vida psíquica que escapa ao princípio de prazer.

Assim, ao longo das páginas que se seguirão, veremos a dor aparecer como um afeto provocado não tanto pela perda do ser amado — penso na dor psíquica — mas pela autopercepção que o eu tem do tumulto interno desencadeado por essa perda. Propriamente falando, a dor não é dor de perder, mas dor do caos das pulsões enlouquecidas. Em suma, o sentimento doloroso reflete não as oscilações regulares das pulsões, mas uma loucura da cadência pulsional.

A Dor Psíquica, Dor de Amar

A dor psíquica é uma lesão do laço íntimo com o outro, uma dissociação brutal daquilo que é naturalmente chamado a viver junto.

A dor está sempre ligada à subitaneidade de uma ruptura, à travessia súbita de um limite, mais-além do qual o sistema psíquico é subvertido sem ser desestruturado.

Ao contrário da dor corporal causada por um ferimento, a dor psíquica ocorre sem agressão aos tecidos. O motivo que a desencadeia não se localiza na carne, mas no laço entre aquele que ama e seu objeto amado. Quando a causa se localiza nesse invólucro de proteção do eu que é o corpo, qualificamos a dor de corporal; quando a causa se situa mais-além do corpo, no espaço imaterial de um poderoso laço de amor, a dor é chamada psíquica. Assim, podemos desde já propor a primeira definição de dor psíquica ou dor de amar, como *o afeto que resulta da ruptura brutal do laço que nos liga ao ser ou à coisa amados*.* Essa ruptura, violenta e súbita, suscita imediatamente um sofrimento interior, vivido como um dilaceramento da alma, como um grito mudo que jorra das entranhas.

De fato, a ruptura de um laço amoroso provoca um estado de choque semelhante àquele que é induzido por uma violenta agressão física: a homeostase do sistema psíquico é rompida, e o princípio de prazer abolido. Sofrendo a comoção, o eu consegue, apesar de tudo — como na dor corporal — autoperceber o seu transtorno, isto é, consegue detectar no seu seio o enlouquecimento das suas tensões pulsionais desencadeadas pela ruptura. A percepção desse caos logo se traduz na consciência pela viva sensação de uma

---

* Dizemos "amado", mas o objeto ao qual estamos ligados e cuja separação brusca gera dor é um objeto igualmente amado, odiado e angustiante.

São os seguintes os diferentes estados simultâneos do eu atravessado pela dor:
- *o eu que sofre a comoção;*
- *o eu que observa a sua comoção;*
- *o eu que sente a dor, expressão consciente da comoção;*
- *e o eu que reage à comoção.*

atroz dor interior. Vamos propor então uma segunda definição da dor psíquica, considerada desta vez do ponto de vista metapsicológico, e digamos que *a dor é o afeto que exprime na consciência a percepção pelo eu — percepção orientada para o interior — do estado de choque, do estado de comoção pulsional (trauma) provocado pela ruptura, não da barreira periférica do eu, como no caso da dor corporal, mas pela ruptura súbita do laço que nos liga ao outro eleito.* Aqui, a dor é dor do trauma.

Quanto mais se ama, mais se sofre

Mas o que é que rompe o laço amoroso, dói tanto e mergulha o eu no desespero? Freud responde sem hesitar: é a *perda* do ser amado ou do seu amor. Acrescentamos: a perda brutal e irremediável do amado. É o que advém quando a morte fere subitamente um de nossos próximos, pai ou cônjuge, irmão ou irmã, filho ou amigo querido. A expressão "perda do ser amado", usada por Freud nos últimos anos da sua vida, aparece essencialmente em dois textos maiores que são *Inibição, sintoma e angústia* e *Mal-estar na cultura.* Cito um trecho deste último: "O sofrimento — escreve ele — nos ameaça de três lados: no nosso próprio corpo, destinado à decadência e à dissolução [...]; do lado do mundo exterior, que dispõe de forças invencíveis e inexoráveis para perseguir-nos e aniquilar-nos." A terceira ameaça, que nos interessa aqui, "provém das nossas relações com os seres humanos". E Freud precisa: "o sofrimento oriundo dessa fonte é talvez mais duro para nós do que qualquer outro". Ele examina então, com muita circunspecção, um depois do outro, os diferentes meios de evitar os sofrimentos corporais e as agressões exteriores. Mas quando aborda o meio de proteger-se contra o sofrimento que nasce da relação com o outro, que remédio encontra? Um remédio aparentemente muito simples, o do amor ao próximo. De fato, para preservar-se da infelicidade,

O amado me protege contra a dor enquanto o seu ser palpita em sincronia com os batimentos dos meus sentidos. Mas basta que ele desapareça bruscamente ou me retire o seu amor, para que eu sofra como nunca.

Como se o eu angustiado já tivesse tido a experiência de uma antiga dor, cuja volta ele teme. A angústia é o pressentimento de uma dor futura, enquanto que a saudade é a lembrança triste e complacente de uma alegria e de uma dor passadas.

alguns preconizam uma concepção de vida que toma como centro o amor, e na qual se pensa que toda alegria vem de amar e ser amado. É verdade — confirma Freud — que "uma atitude psíquica como essa é muito familiar a todos nós". Certamente, nada mais natural do que amar para evitar o conflito com o outro. Vamos amar, sejamos amados e afastaremos o mal. Entretanto, é o contrário que ocorre. O clínico Freud constata: "Nunca estamos tão mal protegidos contra o sofrimento como quando amamos, nunca estamos tão irremediavelmente infelizes como quando perdemos a pessoa amada ou o seu amor." Acho essas frases notáveis porque elas dizem claramente o paradoxo incontornável do amor: mesmo sendo uma condição constitutiva da natureza humana, o amor é sempre a premissa insuperável dos nossos sofrimentos. Quanto mais se ama, mais se sofre.

No outro texto, *Inibição, sintoma e angústia*, a mesma fórmula, "perda do objeto amado", é usada por Freud para distinguir a dor psíquica e a angústia. Como diferencia ele cada um desses afetos? Propõe o seguinte paralelo: enquanto a dor é a reação à perda *efetiva* da pessoa amada, a angústia é a reação à *ameaça* de uma perda eventual. Retomando o nosso desenvolvimento, propomos refinar essas definições freudianas, e precisar: a dor é a reação à *comoção pulsional* efetivamente provocada por uma perda, enquanto a angústia é a reação à *ameaça* de uma eventual *comoção*. Mas como explicar o que parece tão evidente, que a perda súbita do amado ou do seu amor seja tão dolorosa para nós? Quem é esse outro tão amado, cujo desaparecimento inesperado provoca comoção e dor? Com que trama é tecido o laço amoroso, para que a sua ruptura seja sentida como uma perda? O que é uma perda? O que é a dor de amar?

Perder o ser que amamos

Vamos deixar as respostas para depois, e consideremos agora a maneira pela qual o eu reage à comoção

A imagem do objeto perdido, a sua "sombra", cai sobre o eu e encobre uma parte dele.

"... uma aspiração no psiquismo produz um efeito de sucção sobre as quantidades de excitações vizinhas. [...] Esse processo de aspiração tem o efeito de um ferimento (hemorragia interna) análogo à dor."
Freud

Na dor corporal, o superinvestimento incide na representação do corpo lesado; na dor psíquica, ele incide na representação do amado desaparecido.

desencadeada pela perda do ser amado. Definimos a dor psíquica como o afeto que traduz na consciência a autopercepção pelo eu da comoção que ele sofre. Nós a chamamos então de *dor do trauma*. Agora, completamos dizendo que ela é a dor produzida quando o eu se defende *contra o trauma*. Mais precisamente, *a dor psíquica é o afeto que traduz na consciência a reação defensiva do eu quando, sendo comocionado, ele luta para se reencontrar*. A dor é pois uma reação.

Mas qual é essa reação? Diante do transtorno pulsional introduzido pela perda do objeto amado, o eu se ergue: apela para todas as suas forças vivas — mesmo com o risco de esgotar-se — e as concentra em um único ponto, o da representação psíquica do amado perdido. A partir de então, o eu fica inteiramente ocupado em manter viva a imagem mental do desaparecido. Como se ele se obstinasse em querer compensar a ausência real do outro perdido, magnificando a sua imagem. O eu se confunde então quase totalmente com essa imagem soberana, e só vive amando, e por vezes odiando a efígie de um outro desaparecido. Efígie que atrai para si toda a energia do eu e lhe faz sofrer uma aspiração medular violenta, que o deixa exangue e incapaz de interessar-se pelo mundo exterior. Descrevemos aqui a mesma crispação defensiva do eu que nos permitirá explicar a última etapa da gênese da dor corporal (*dor de reagir*), quando toda a energia psíquica "pensa" a representação do ferimento (Fig. 2). Agora, a mesma energia aflui e se condensa na representação do ser amado e desaparecido. A dor de perder um ser caro se deve pois ao afastamento que existe entre um eu exangue e a imagem demasiado viva do desaparecido.

A reação do eu contra a comoção desencadeada pela perda se decompõe assim em dois movimentos: uma aspiração súbita da energia que o esvazia — movimento de *desinvestimento* — e a polarização de toda essa energia sobre uma única imagem psíquica — movimento de *superinvestimento*. A dor mental resulta assim de um duplo processo defensivo: o eu desinveste subitamente a quase totalidade das suas representações, para superinvestir pontualmente a única representação do amado que não existe mais. O esvaziamento súbito do eu é um fenômeno tão doloroso quanto a contração em um ponto. Os dois movimentos de defesa contra o trauma geram dor. Mas se a dor do desinvestimento toma a forma clínica de uma inibição paralisante, a do superinvestimento é uma dor pungente e que oprime. Vamos propor então uma nova definição da dor psíquica, como *o afeto que exprime o esgotamento de um eu inteiramente ocupado em amar desesperadamente a imagem do amado perdido. O langor e o amor se fundem em dor pura.*

Observe-se aqui que a representação do ser desaparecido é tão fortemente carregada de afeto, tão superestimada, que acaba não só devorando uma parte do eu, mas também tornando-se estranha ao resto do eu, isto é, inconciliável com as outras representações que foram desinvestidas. Se pensarmos agora no luto que se seguirá à morte do amado, veremos que o processo do luto segue um movimento inverso ao da reação defensiva do eu. Ao passo que essa reação consiste em um superinvestimento da dita representação, o trabalho de luto é um desinvestimento progressivo desta. Realizar um luto significa, de fato, desinvestir pouco a pouco a representação saturada do amado perdido, para torná-la de novo conciliável com o conjunto da rede das representações egóicas. O luto não é nada mais do que uma lentíssima redistribuição da energia psíquica até então concentrada em uma única representação que era dominante e estranha ao eu.

Compreende-se então que se esse trabalho de desinvestimento que deve seguir-se à morte do outro não se cumprir, e se o eu ficar assim imobilizado em uma representação coagulada, o luto se eterniza em um estado crônico, que paralisa a vida da pessoa enlutada durante vários anos, ou até durante toda a sua existência. Penso em um analisando que, tendo perdido a mãe quando ele era muito jovem e sofrendo de um luto

---

A dor ocorre a cada vez que acontece um deslocamento maciço e súbito de energia. Assim, o desinvestimento do eu dói, e o desinvestimento da imagem também dói.

O luto patológico consiste em uma onipresença psíquica do outro morto.

inacabado, me dizia: "Uma parte dela está desesperadamente viva em mim, e uma parte de mim está para sempre morta com ela." Essas palavras, de uma cruel lucidez, revelam um ser desdobrado e desenraizado por uma dor antiga e sorrateira. Como não evocar aqui os rostos contorcidos e os corpos estranhamente deformados que habitam as telas desse pintor da dor que é Francis Bacon?

*

O que dói não é perder o ser amado, mas continuar a amá-lo mais do que nunca, mesmo sabendo-o irremediavelmente perdido.

Temos pois um eu dissociado entre dois estados: por um lado, concentrado e contraído em um ponto, o da imagem do outro desaparecido, com a qual ele se identifica quase totalmente; por outro lado empobrecido e exangue. Lembremo-nos de Clémence, sugada pelas imagens obsessivas do seu bebê morto, e esvaziada de toda a sua substância. Entretanto, existe uma outra dissociação, ainda mais dolorosa, uma outra razão para a dor de amar. O eu fica esquartejado entre o seu amor desmedido pela efígie do objeto perdido e a constatação lúcida da ausência real desse objeto. O dilaceramento não se situa mais entre contração e esvaziamento, mas entre contração — isto é, amor excessivo dedicado a uma imagem — e reconhecimento agudo do caráter irremediável da perda. O eu ama o objeto que continua a viver no psiquismo, ele o ama como nunca o amara, e, no mesmo momento, sabe que esse objeto não voltará mais. O que dói, não é perder o ser amado, mas continuar a amá-lo mais do que nunca, mesmo sabendo-o irremediavelmente perdido. Amor e saber se separam. O eu fica esquartejado entre um amor que faz o ser desaparecido reviver, e o saber de uma ausência incontestável. Essa falha entre a presença viva do outro em mim e sua ausência real é uma clivagem tão insuportável que muitas vezes

Entre a cegueira do amor e a clareza do saber, escolho a opacidade do amor que acalma a minha dor.

tendemos a reduzi-la, não moderando o amor, mas negando a ausência, rebelando-nos contra a realidade da falta e recusando-nos a aceitar o desaparecimento definitivo do amado. Essa rebelião contra o destino, essa renegação da perda é algumas vezes tão tenaz que a pessoa enlutada quase enlouquece. A recusa de admitir o caráter irremediável da perda ou, o que dá no mesmo, o caráter incontestável da ausência na realidade, avizinha-se da loucura, mas atenua a dor. Uma vez apaziguados esses momentos de rebelião, a dor reaparece tão viva quanto antes. Diante da morte súbita de um ser querido, acontece freqüentemente que a pessoa enlutada se ponha à procura dos sinais e dos lugares associados ao morto e, às vezes, a despeito de qualquer razão, imagine que pode fazê-lo reviver e reencontrá-lo. Penso em uma paciente que ouvia os passos do marido morto subindo a escada. Ou na mãe que via com uma extrema acuidade o filho recentemente desaparecido, sentado à sua mesa de trabalho. Nessas alucinações, a pessoa enlutada vive com uma certeza inabalável a volta do morto e transforma a sua dor em convicção delirante. Compreende-se assim que a supremacia do amor sobre o saber leva a criar uma nova realidade, uma realidade alucinada, em que o amado desaparecido volta sob a forma de uma fantasia.

O fantasma do amado desaparecido

Inspirando-nos no fenômeno do *membro fantasma*, bem conhecido dos neurologistas, chamamos essa alucinação da pessoa enlutada de "fenômeno do amado fantasma". Mas por que o qualificativo de "fantasma"? Lembro que a alucinação do membro fantasma é um distúrbio que afeta uma pessoa amputada de um braço ou perna. Ela sente de modo tão vivo sensações vindas do seu membro desaparecido, que este lhe parece existir ainda. Do mesmo modo, a pessoa enlutada pode perceber, com todos os seus sentidos e uma absoluta

A pessoa amada é para o eu tão essencial quanto uma perna ou um braço. Seu desaparecimento é tão revoltante que o eu ressuscita o amado sob a forma de um fantasma.

convicção, a presença viva do morto. Para compreender essa impressionante semelhança de reações alucinatórias diante de duas perdas de natureza tão diferente — a de um braço e a de um ser amado — propomos a hipótese seguinte. Vamos precisar logo que o eu funciona como um espelho psíquico composto de uma miríade de imagens, cada uma delas refletindo esta ou aquela parte do nosso corpo ou este ou aquele aspecto dos seres ou das coisas aos quais estamos afetivamente ligados. Quando perdemos um braço, por exemplo, ou um ser querido, a imagem psíquica (ou representação) desse objeto perdido é, por compensação, fortemente superinvestida. Ora, vimos que esse superinvestimento afetivo da imagem gera dor. Mas o grau superior desse superinvestimento provocará outra coisa além da dor; acarretará a alucinação da coisa perdida, cuja imagem é o reflexo. De fato, a alucinação das sensações fantasmas provenientes do braço amputado, ou a alucinação da presença fantasma de um marido desaparecido se explicariam, ambas, por um superinvestimento tão desproporcional da imagem desse objetos perdidos, que esta acaba sendo ejetada para fora do eu. E é ali, fora do eu, no real, que a representação reaparecerá sob a forma de um fantasma. Diremos então que a representação foi foracluída, isto é, sobrecarregada, expulsa e alucinada. O fenômeno do membro fantasma ou do amado fantasma não se explica mais por uma simples negação da perda do objeto amado — braço amputado ou ser desaparecido — mas pela foraclusão da representação mental do dito objeto (Fig. 1).

Mas a impressionante afinidade entre essas duas alucinações fantasmáticas mostra ainda quanto a pessoa amada é, na verdade, um órgão interno do eu tão essencial quanto podem ser uma perna ou um braço. Só posso alucinar essa coisa essencial, cuja privação transtorna o funcionamento normal do meu psiquismo.

*

Justamente, chegou a hora de retomarmos nossas interrogações sobre as particularidades do outro amado,

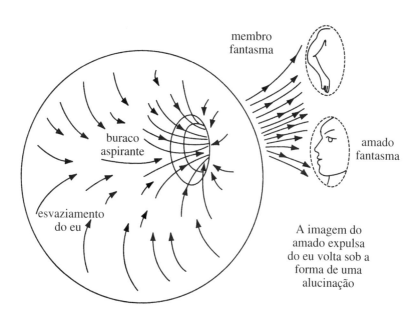

Figura 1
*Explicação do fenômeno do "membro fantasma"
e do "amado fantasma".*

A imagem psíquica de um braço amputado foi tão superinvestida que acaba sendo projetada para fora do eu e percebida pelo sujeito como um braço alucinado. A sua expulsão deixa no psiquismo um buraco aspirante por onde se escoa a energia do eu até o esvaziamento. Pensamos que esse mecanismo de expulsão da imagem do objeto perdido e o seu reaparecimento no real explica a alucinação do *membro fantasma*. Esse mecanismo, que não é outro senão a foraclusão, explicaria também o distúrbio de algumas pessoas enlutadas, que alucinam o morto e o vêem como se ele estivesse vivo. Chamamos esse fenômeno de *amado fantasma*. Em ambos os casos, o objeto perdido — o braço amputado ou o morto — continua a viver na realidade para o eu.

cujo luto devemos realizar. De fato, entre todos os que amamos, quais são os raros seres que consideramos insubstituíveis, e cuja perda súbita provocaria dor? Quem é esse outro eleito que faz com que eu seja o que sou, e sem o qual eu não seria mais o mesmo? Que lugar ele ocupa no seio do meu psiquismo, para que ele seja tão essencial para mim? Como nomear esse laço que me liga a ele? Com todas essas perguntas, desejaríamos finalmente demarcar o laço misterioso, o do amor, que nos une ao outro eleito. As respostas a essas interrogações vão nos conduzir a uma nova definição da dor.

O amado cujo luto devo realizar é aquele que me satisfaz parcialmente, torna tolerável minha insatisfação e recentra meu desejo

Para saber quem é esse outro eleito, o seu papel essencial no seio do inconsciente e a dor que o seu desaparecimento provoca, devemos voltar por um instante ao funcionamento ordinário do sistema psíquico. Desta vez, vamos abordá-lo de um ângulo particular. Sabemos que esse sistema é regido pelo princípio de desprazer/prazer, que apresenta a premissa segundo a qual o psiquismo está constantemente submetido a uma tensão que ele procura descarregar, sem nunca conseguir completamente. Enquanto que o estado permanente de tensão se chama "desprazer", a descarga incompleta e parcial de tensão se chama "prazer", prazer parcial. Pois bem, no seu funcionamento normal, o psiquismo permanece basicamente submetido ao desprazer, isto é, a uma tensão desprazerosa, já que nunca há descarga completa. Vamos mudar agora a nossa formulação, e ao invés de empregar as palavras "tensão" e "desprazer", vamos utilizar a palavra "desejo". Pois o que é o desejo, senão essa mesma tensão desprazerosa vista em movimento, orientada para um alvo ideal, o de chegar ao prazer absoluto, isto é, à descarga total? Assim, diremos que a situação ordinária do sistema inconsciente se define pelo estado tolerável de insatisfação de um desejo[2] que nunca chega a realizar-se totalmente. Entretanto, enunciar que a tensão psíquica continua sempre viva, e até penosa, que o desprazer domina ou que nossos desejos ficam insatisfeitos, não exprime, de modo algum, uma visão pessimista do homem. Pelo contrário, esse enunciado equivale a declarar que ao longo da nossa existência, estaremos, felizmente, em estado de carência. Digo felizmente, porque essa carência, vazio sempre futuro que atiça o desejo, é sinônimo de vida.

Se quiséssemos representar espacialmente essa parte de insatisfação que aspira o desejo, não a imaginaríamos como o trecho de uma estrada reta que ainda nos resta percorrer para chegar enfim ao alvo mítico de um gozo pleno. Não, a insatisfação não é a parte não percorrida do trajeto do desejo até a satisfação absoluta. É de outra forma que lhes peço que a representem. Proponho que a imaginemos, antes, sob a forma de um buraco. Um buraco situado no centro do nosso ser, e em torno do qual gravitariam os nossos desejos. O vazio futuro não está diante de nós, mas em nós. O trajeto do desejo não descreve pois uma linha reta orientada para o horizonte, mas uma espiral girando em torno de um vazio central, que atrai e anima o movimento circular do desejo. Conseqüentemente, declarar que nossos desejos são insatisfeitos significa, espacialmente falando, que eles seguem o movimento centrípeto de um fluxo que circunscreve uma carência irredutível.

Vê-se bem que a carência não é apenas um vazio que aspira o desejo; ela é também um pólo organizador do desejo. Sem carência, quero dizer sem esse núcleo atraente que é a insatisfação, o impulso circular do desejo se perturbaria e então só haveria dor. Vamos nos expressar de outra maneira. Se a insatisfação é viva mas suportável, o desejo continua ativo e o sistema psíquico continua estável. Se, ao contrário, a satisfação é demasiado transbordante ou se a insatisfação é desmedida, o desejo perde o seu eixo e a dor aparece. Reencontramos aqui a hipótese que habita o nosso texto, isto é, que a dor exprime a turbulência das pulsões no domínio do Isso.

Assim, um certo grau de insatisfação é vital para conservarmos a nossa consistência psíquica. Mas como preservar essa carência essencial? E ainda, sendo essa carência necessária, como mantê-la nos limites do suportável? É justamente aí que intervém o nosso parceiro, o ser do nosso amor, porque é ele que faz o papel de objeto insatisfatório do meu desejo, e por isso mesmo, de pólo organizador desse desejo. Como se o buraco de insatisfação no interior estivesse ocupado pelo outro eleito no exterior; como se a carência fosse finalmente um lugar vacante, sucessivamente ocupado pelos raros seres ou coisas exteriores que consideramos insubstituíveis e cujo luto deveríamos realizar caso desaparecessem.

Nosso eleito nos é indispensável porque ele nos assegura a indispensável insatisfação.

Entretanto, como aceitar que o meu parceiro possa ter essa função castradora de limitar a minha satisfação? Sem dúvida, esse papel restritivo do ser amado pode ser desconcertante, porque habitualmente atribuímos ao nosso parceiro o poder de satisfazer os nossos desejos e nos dar prazer. Vivemos na ilusão, em parte verificada, de que ele nos dá mais do que nos priva. Mas a sua função no seio do nosso inconsciente é completamente diferente: ele nos assegura a consistência psíquica pela insatisfação que ele faz nascer e não pela satisfação que ele proporciona. Nosso parceiro, o ser do nosso amor, nos insatisfaz porque, ao mesmo tempo em que excita o nosso desejo, ele não pode — a rigor, será que ele teria os meios de fazê-lo? — e não quer nos satisfazer plenamente. Sendo humano, ele não pode e sendo neurótico ele não quer. Isto significa que ele é ao mesmo tempo o excitante do meu desejo e o objeto que só o satisfaz parcialmente. Ele sabe me excitar, me proporcionar um gozo parcial e, por isso mesmo, me deixar insatisfeito. Assim, ele garante essa insatisfação que me é necessária para viver e recentra meu desejo.

Mas, além do parceiro amoroso, há outros objetos eleitos que poderiam assegurar essa função de recentramento do meu desejo? Sim, como por exemplo esse objeto que é o amor em si, o próprio amor que o meu parceiro me dedica; ou ainda o amor que eu dedico à minha própria imagem, alimentada pelo reconhecimento do outro, como a honra ou uma posição social. O objeto do desejo pode ser também a minha integridade corporal, que eu devo preservar acima de tudo. Acontece até que o objeto seja uma coisa material tão pessoal como o nosso corpo, como a terra natal ou a casa ancestral. Todos são objetos eleitos e ao mesmo tempo tão internos, tão íntimos, tão intrinsecamente ordenadores do movimento do nosso desejo, que vivemos sem perceber a solidez do seu enraizamento no inconsciente. É unicamente quando somos ameaçados de perdê-los, ou depois de tê-los perdido, que a sua ausência revela dolorosamente a profundidade desse enraizamento. É apenas no só-depois, muito mais tarde, que saberemos se o ser, a coisa ou o valor desaparecidos eram ou não eleitos para nós.

De fato, quando paira a *ameaça* de perder um desses objetos considerados insubstituíveis, é a angústia que surge; e ela surge no eu. Se, em contrapartida, um desses objetos desaparece *subitamente*, sem ameaça prévia, é a dor que se impõe: e ela emana do Isso. Sofrerei a dor no Isso, se perder brutalmente a pessoa amada (luto), o seu amor (abandono), o amor que dedico à imagem de mim mesmo (humilhação), ou ainda a integridade do meu corpo (mutilação). O *luto*, o *abandono*, a *humilhação* e a *mutilação* são as quatro circunstâncias que, se forem súbitas, desencadearão a dor psíquica ou dor de amar.

Mas vamos ficar com o caso exemplar em que o objeto do desejo é a pessoa amada, cuja perda suscita a dor do luto. Justamente, o que perdemos quando perdemos o ser que amamos? Ou mais simplesmente: quem é o outro amado?

A angústia é uma formação do eu, ao passo que a dor é uma formação do Isso.

O amor é a presença em fantasia do amado no meu inconsciente

> Se insistem para que eu diga por que eu o amava, sinto que isso só pode exprimir-se respondendo: *"Porque era ele; porque era eu."*
> Montaigne

Essas linhas de Montaigne são de um belíssimo texto sobre a amizade, escrito pouco depois da morte do seu amigo mais caro, La Boétie. Dentre as muitas amizades que alimentaram a sua alma, ele distingue aquela, única, que o ligava indissoluvelmente ao seu companheiro. Amizade tão poderosa que todas as costuras das suas diferenças se apagaram em uma mistura universal. Depois, tentando responder ao motivo de um tal amor excepcional pelo amigo eleito e recentemente desaparecido, Montaigne escreveu essa frase cintilante de beleza e de discrição: "Por que eu o amava? Porque era ele; porque era eu." Assim, o amor permanece sendo um mistério impenetrável, que não se deve explicar, mas apenas constatar.

Outro escritor adota uma reserva semelhante diante do enigma do apego ao eleito. Em *Luto e melancolia*, Freud fala do amor falando da morte. Observa que a pessoa enlutada ignora o valor intrínseco do amado desaparecido: "a pessoa enlutada sabe **quem** perdeu, mas não sabe o **que** perdeu ao perder o seu amado". Graças ao simples "que", impessoal, Freud sublinha como o ser que mais amamos é primeiramente uma instância psíquica e quanto essa instância é diferente da pessoa concreta. Sem dúvida, o amado é uma pessoa, mas é primeiramente e sobretudo essa parte ignorada e inconsciente de nós mesmos, que desabará se a pessoa desaparecer. Mais recentemente, Lacan, também diante do mistério do laço amoroso, inventa o seu "objeto *a*". Pois é precisamente com a expressão "objeto *a*" que ele simboliza o mistério, sem com isso resolvê-lo. O *a*, afinal, é apenas um nome para designar o que ignoramos, ou seja, essa presença inapreensível do outro amado em nós, essa coisa que perdemos quando a pessoa do eleito desaparece definitivamente da realidade exterior.

Essa é justamente a questão decisiva, tão insolúvel quanto inevitável. Em que consiste o "o" que se perde quando perdemos o eleito? O que une dois seres para que um deles sofra tão profundamente com o fim súbito do outro? Assim, no momento o nosso problema não é mais o da dor, mas o do amor. É realmente o amor que nos interessa agora, porque é demarcando o melhor possível a sua natureza que chegaremos a uma nova definição psicanalítica da dor.

Quem é pois aquele que eu amo e considero único e insubstituível? É um ser misto, composto ao mesmo tempo por essa pessoa viva e definida que se encontra diante de mim e pelo seu duplo interno em mim.

Para compreender bem como tal ser se torna meu eleito, vamos decompor em duas etapas o processo do amor pelo qual transformamos um outro exterior em um duplo interno.

• Vamos imaginar uma pessoa que nos seduz, isto é, que desperta e capta a força do nosso desejo.

• Progressivamente, respondemos e nos apegamos a essa pessoa até incorporá-la e fazer dela uma parte de nós mesmos. Insensivelmente, nós a recobrimos como a hera recobre a pedra. Nós a envolvemos com uma multidão de imagens superpostas, cada uma delas carregada de amor, de ódio ou de angústia, e a fixamos inconscientemente através de uma multidão de representações simbólicas, cada uma delas ligada a um aspecto seu que nos marcou.[3] Toda essa hera germinada no meu psiquismo, alimentada pela seiva bruta da pressão do desejo, todo esse conjunto de imagens e de significantes que liga o meu ser à pessoa viva do amado até transformá-la em duplo interno, nós o chamamos de "fantasia", fantasia do eleito. Sei que, usualmente, a palavra "fantasia" é equívoca, pois

A fantasia é a presença real, simbólica e imaginária do amado no inconsciente. Sua função é regular a intensidade da força do desejo.

remete à idéia vaga de devaneio ou de roteiro conscientemente imajado. Entretanto, o conceito psicanalítico de fantasia que elaboramos aqui, para melhor compreender a dor, é extremamente preciso. A fantasia é o nome que damos à sutura inconsciente do sujeito com a pessoa viva do eleito. Essa sutura operada no meu inconsciente é uma liga de imagens e de significantes vivificada pela força real do desejo que o amado suscita em mim, e que eu suscito nele, e que nos une.

Mas essa fantasia do amado, mesmo sendo levada pela pressão impulsiva do desejo, tem por função frear e domar esse impulso. Contendo essa força e evitando que ela se embale, ele impede o desejo de chegar à satisfação absoluta. Assim, a fantasia instala a insatisfação e assegura a homeostase do sistema inconsciente. Compreende-se melhor agora que a função protetora da pessoa do amado é, na verdade, a função protetora da *fantasia* do amado. A fantasia é protetora porque nos preserva do perigo que significaria uma turbulência desmesurada do desejo ou o seu equivalente, o caos pulsional.

Em resumo, a pessoa amada deixou de ser apenas uma instância exterior, para viver também no interior de nós, como um objeto fantasiado que recentra nosso desejo, tornando-o insatisfeito no limite do tolerável. O ser que mais amamos continua sendo inevitavelmente o ser que mais nos insatisfaz. A insatisfação do desejo se traduz na realidade cotidiana do casal pelo descontentamento com o amado, com um amado que consideramos não só como o Outro do amor, mas também como o Outro das nossas queixas, acusações e recriminações.

Assim, o eleito existe duplamente: por um lado, fora de nós, sob a espécie de um indivíduo vivo no mundo, e por outro lado em nós, sob a espécie de uma presença fantasiada — imaginária, simbólica e real — que regula o fluxo imperioso do desejo e estrutura a ordem inconsciente. Das duas presenças, a viva e a fantasiada, é a segunda que domina, pois todos os nossos comportamentos, a maioria dos nossos julgamentos e o conjunto dos sentimentos que experimentamos em relação ao amado são rigorosamente determinados pela fantasia. Só captamos a realidade do eleito através da lente deformante da fantasia.[4] Só o olhamos, escutamos, sentimos ou tocamos envolvido no véu tecido pelas imagens nascidas da fusão complexa entre a sua imagem e a imagem de nós mesmos. Véu tecido também pelas representações simbólicas inconscientes, que delimitam estritamente o quadro do nosso laço de amor.

A pessoa do amado

Vamos refinar imediatamente os três modos de presença real, simbólica e imaginária do eleito fantasiado no nosso inconsciente. Mas antes, vamos distinguir claramente o sentido da expressão "pessoa do amado", que empregamos para designar a existência exterior do eleito. Se é verdade que a existência fantasiada do outro é mais importante do que a sua existência exterior, não é menos verdadeiro que a primeira se alimenta da segunda, e que a minha fantasia inconsciente só pode desabrochar se o outro estiver vivo. A pessoa viva do eleito me é indispensável como uma base dotada de vida própria, sobre a qual repousa e desabrocha o objeto fantasiado. Sem essa base, substrato de vida, nossa fantasia desabaria e o sistema inconsciente perderia o seu centro de gravidade. Ocorreria então uma imensa desordem pulsional, acarretando infelicidade e dor.

Mas por que é preciso que a pessoa do eleito esteja viva para que haja fantasia? Por duas razões. Primeiro, porque ela é um corpo ativo e desejante, do qual provêm as excitações que estimulam o meu próprio desejo, que por sua vez carrega a fantasia. Excitações que são os impactos em mim das irradiações do seu desejo. E depois, porque a dita pessoa é um corpo em movimento, cujo aspecto singular será projetado no seio do meu psiquismo como uma imagem inte-

A pessoa do amado é ao mesmo tempo o suporte animado das minhas imagens e um corpo crivado de focos de irradiação do seu desejo, que são outros tantos focos de excitação para o meu desejo.

riorizada que me remete às minhas próprias imagens. Assim, a pessoa do eleito me é absolutamente necessária, porque ela é uma constelação irradiante de fontes de excitação que sustenta o meu desejo e, mais-além, a fantasia, e também porque ela é a silhueta viva a partir da qual se imprime no meu inconsciente a silhueta do outro eleito.

Mas se o corpo do eleito é para a minha fantasia um arquipélago de focos de excitação do meu desejo e o suporte vivo das minhas imagens, o que sou eu, eu e meu corpo, para a fantasia dele? Justamente, a metáfora da hera é muito evocadora, pois a hera é uma planta vivaz que não só rasteja e sobe, mas engancha as suas hastes em lugares bem específicos da pedra, nas rachaduras e nas fendas. Do mesmo modo, o meu apego ao outro eleito, que se tornou meu objeto fantasiado, é uma sutura que não pega em qualquer lugar, mas muito exatamente nos orifícios erógenos do corpo, ali onde ele próprio irradia o seu desejo e me excita, sem com isso conseguir satisfazer-me. E, reciprocamente, é no meu corpo, nos pontos de emissão do meu próprio desejo, que a fantasia dele se fixará. Admitiremos assim que a minha própria fantasia atará um laço ainda mais potente se, por minha vez, eu for a pessoa viva sobre a qual se construiu a sua fantasia, se eu me tornei o regulador da sua insatisfação. Em outros termos, minha fantasia será um laço tanto mais apertado quanto mais eu for para o outro aquilo que ele é para mim: o *eleito fantasiado*.

Por conseguinte, é preciso saber que quando amamos, amamos sempre um ser híbrido, constituído ao mesmo tempo pela pessoa exterior com que convivemos no exterior, e pela sua presença fantasiada e inconsciente em nós. E reciprocamente, somos para ele o mesmo ser misto feito de carne e de inconsciente. É por isso que lhes falo da fantasia. É para compreender melhor que não sofrerei outra dor senão a dor do desaparecimento daquele que foi para mim o que eu fui para ele: o eleito fantasiado.

Agora, devemos separar bem os três modos de presença fantasiada do eleito, para definir o melhor possível o "que" desconhecido que perdemos quando a sua pessoa desaparece.

A presença real do amado no meu inconsciente: uma força

O estatuto fantasiado do amado assume pois três formas diferentes, que correspondem às três dimensões lacanianas do *real*, do *simbólico* e do *imaginário*. Das três, é a presença *real* do outro no inconsciente que provoca mais dificuldades conceituais, porque esse qualificativo de "real" pode fazer crer que ele se refere simplesmente à realidade da pessoa do eleito. Ora, "real" não significa uma pessoa, mas aquilo que, dessa pessoa, desperta no meu inconsciente uma força que faz com que eu seja o que eu sou e sem a qual eu não mais seria consistente. O real é simplesmente a vida no outro, a força de vida que anima e atravessa o seu corpo. É muito difícil distinguir nitidamente essa força que emana do corpo e do inconsciente do eleito enquanto ele está vivo e me excita, dessa outra força em mim que arma meu inconsciente. Muito difícil, na medida em que essas forças, na verdade, são uma mesma e única coluna energética, um eixo vital e impessoal que não pertence nem a um nem ao outro parceiro. Difícil também porque essa força única não tem nenhum símbolo nem representação que possa significá-la. É o sentido do conceito lacaniano de "real". O real é irrepresentável, a energia que garante ao mesmo tempo a consistência psíquica de cada um dos parceiros e do seu laço comum de amor. Em suma, se quisermos condensar em uma palavra o que é o outro *real*, diríamos que ele é essa força imperiosa e desconhecida que dá corpo ao nosso laço e ao nosso inconsciente. O outro real não é pois a pessoa exterior do outro, mas a parte de energia pura, impessoal, que anima a sua pessoa. Parte que é também, porque

A presença real do eleito é uma força, e a sua presença simbólica é o ritmo dessa força.

estamos ligados, a minha própria parte impessoal, nosso real comum. Entretanto, para que o outro real exista, para que ele tenha essa força real que não pertence nem a um nem ao outro, é preciso que os corpos de um e do outro estejam vivos e frementes de desejo.

A presença simbólica do amado no meu inconsciente: um ritmo

Mas se o estatuto real do eleito é ser uma força estranha que liga como uma ponte de energia os dois parceiros e arma o nosso inconsciente, o estatuto *simbólico* do eleito é ser o *ritmo* dessa força. Certamente, não se deve imaginar a tensão do desejo como um impulso cego e maciço, mas como um movimento centrípeto e ritmado por uma sucessão mais ou menos regular de subidas e quedas de tensão. Nosso desejo não é um real puro, mas uma força regulada por um ritmo preciso e definido, que a torna singular. Ora, o que é o ritmo, senão uma estrutura simbólica organizada como uma seqüência de tempos fortes e tempos fracos, repetidos a intervalos regulares? O ritmo é, efetivamente, a mais primitiva expressão simbólica do desejo, e até da vida, pois no começo a vida é apenas energia palpitante. A força de impulsão desejante é real porque é em si irrepresentável, mas as variações rítmicas dessa força são simbólicas, porque são, ao contrário, representáveis. Representáveis como uma alternância de intensidades fortes e de intensidades fracas, segundo um traçado de picos e de vazios.

Ora, formulamos a hipótese de que a presença *simbólica* do outro no nosso inconsciente é um *ritmo*, um acorde harmonioso entre o seu poder excitante e a minha resposta, entre o seu papel de objeto e a insatisfação que eu sinto. Se considero o eleito insubstituível, é porque meu desejo se modelou progressivamente pelas sinuosidades do fluxo vibrante do seu próprio desejo. Ele é considerado insubstituível por-

Se a pessoa do amado não está mais aqui, então falta a excitação que escandia o ritmo do meu desejo.

A presença simbólica do eleito é um ritmo, mais exatamente o compasso pelo qual se regula o ritmo do meu desejo.

que ninguém mais poderia acompanhar tão finamente o ritmo do meu desejo. Como se o eleito fosse antes de tudo um corpo, que pouco a pouco se aproxima, se posiciona e se ajusta aos batimentos do meu ritmo. Como se as pulsações da sua sensibilidade dançassem na mesma cadência que as minhas próprias pulsações, e os nossos corpos se excitassem mutuamente. Assim a cadência do seu desejo se harmoniza com a minha própria cadência, e cada uma das variações da sua tensão responde em eco a cada uma das minhas. Algumas vezes, o encontro é suave e progressivo; outras, violento e imediato. Entretanto, se é verdade que as trocas erógenas podem ser harmoniosas, as satisfações resultantes continuam sendo para cada um dos parceiros satisfações sempre singulares, parciais e discordantes. Nossas trocas se afinam, mas nossas satisfações desafinam. Elas desafinam, porque são obtidas por ocasião de momentos diferentes e em intensidades desiguais. Há uma afinação na excitação e desarmonias na satisfação.

Vê-se bem que o meu outro eleito não é apenas a pessoa que tenho diante de mim, nem uma força, um excitante, nem mesmo um objeto de insatisfação; ele é tudo isso ao mesmo tempo, condensado no ritmo de vida do nosso laço de amor. Ora, quando ele não está mais aqui, quando a irradiação do seu ser vivo e desejante não está mais aqui, e o meu desejo se vê privado das excitações que ele sabia tão bem despertar, perco certamente uma infinidade de riquezas, mas perco principalmente a estrutura do meu desejo, isto é, a sua escansão e o seu ritmo.

Assim, a presença simbólica do amado no seio do meu inconsciente se traduz pela cadência pela qual deve regular-se o ritmo do meu desejo. Em resumo, *o outro simbólico é um ritmo*, ou ainda um compasso, ou melhor, o metrônomo psíquico que fixa o tempo da minha cadência desejante.

Essa maneira que temos de conceber o estatuto simbólico do eleito é uma reinterpretação do conceito freudiano de recalcamento, considerado como a barreira que contém o transbordamento das tendências desejantes. É também uma reinterpretação do conceito lacaniano do significante do Nome-do-Pai, considerado como o limite que enquadra e dá consistência ao sistema simbólico. Seja o recalcamento freudiano ou o significante lacaniano do Nome-do-Pai, trata-se de um elemento canalizador das forças do desejo e ordenador de um sistema. Ora, justamente, o ser eleito, definido como um metrônomo psíquico, cumpre essa função simbólica de obrigar o desejo a seguir o ritmo do nosso laço. Assim, diremos que o eleito, dono do compasso imposto ao meu desejo, me impede de me perturbar ao restringir o meu gozo. Ele me protege e me torna insatisfeito. O eleito simbólico é, definitivamente, uma figura do recalcamento e a figura mais exemplar do significante do Nome-do-Pai.

A presença imaginária do amado no meu inconsciente: um espelho interior

A presença imaginária do eleito no nosso inconsciente se resume em ser o espelho interior que nos remete as nossas próprias imagens.

A pessoa do amado como corpo vivo não é apenas fonte de excitação do meu desejo; ela é também — como dissemos — a silhueta animada que será projetada no meu psiquismo sob a forma de uma imagem interna. O corpo do outro se duplica assim por uma imagem interiorizada. É precisamente essa imagem interna do amado em mim que nós identificamos como a sua presença imaginária no inconsciente.

O outro imaginário é pois simplesmente uma imagem, mas uma imagem que tem a particularidade de ser ela própria uma superfície polida, sobre a qual se refletem permanentemente as minhas próprias imagens. Capto as imagens de mim mesmo, refletidas nesse espelho que é a imagem interiorizada do eleito. Assim, esta última tem o poder de ser simultaneamente imagem do outro e espelho das minhas.

A imagem do meu amado, a que tenho no inconsciente, só brilhará com todo o seu resplendor, só enviará as minhas imagens e só despertará afetos se

O eu se ama, se odeia ou se angustia quando percebe a sua própria imagem enviada pelo espelho interior. Logo que o eu capta a sua imagem, experimenta instantaneamente um sentimento de amor, de ódio ou de angústia.

estiver apoiada pelo corpo vivo do amado. É preciso que meu amado esteja vivo, a fim de que o espelho que o duplica no inconsciente possa refletir imagens bastante vivas para produzir sentimentos. Justamente, as imagens adquirem essa vivacidade graças à impulsão ativa e ritmada do desejo diretamente ligada à vida do corpo do amado. É a força do desejo que carrega as imagens de energia, as faz ondular como reflexos na superfície da água e as torna capazes de criar sentimentos.

Mas quais são as principais imagens de mim mesmo que esse espelho interior me devolve? São imagens que, logo que percebidas, fazem nascer um afeto. Às vezes, percebemos uma imagem exaltante de nós mesmos, que reforça o nosso amor narcísico; outras vezes, uma imagem decepcionante que alimenta o ódio por nós mesmos; e freqüentemente uma imagem de submissão e de dependência em relação ao amado que provoca a nossa angústia.

Duas observações ainda, para concluir sobre o estatuto imaginário do outro amado. O espelho psíquico que a imagem do eleito é no meu inconsciente não deve ser pensado como a superfície lisa do gelo, mas como um espelho fragmentado em pequenos pedaços móveis de vidro, sobre os quais se refletem, confundidas, imagens do outro e imagens de mim. Essa alegoria caleidoscópica tem a vantagem de nos mostrar que a imagem inconsciente que temos do eleito é um espelho fragmentado e que as imagens que nele se refletem são sempre parciais e móveis. Mas essa metáfora tem o defeito de sugerir que a presença imaginária do outro seria inteiramente visual, enquanto sabemos quanto uma imagem pode ser também olfativa, auditiva, tátil ou cinestésica.

Amar é também idealizar o eleito.

A segunda observação refere-se ao enquadramento da imagem inconsciente do amado, isto é, a maneira pela qual imaginamos o amado, não mais segundo nossos afetos, mas segundo nossos valores. Penso nos diversos ideais que, às vezes sem saber, atribuímos à pessoa do eleito. Ancoramos e desenvolvemos o nosso apego conservando no horizonte esses ideais implícitos. Ideais muitas vezes exagerados, até infantis, constantemente reajustados pelas limitações inerentes às necessidades (corpo), à demanda (neurose) e ao desejo do outro. Ora, quais são esses ideais situados na encruzilhada do simbólico e do imaginário? Eis os principais:

• Meu eleito deve ser único e insubstituível;

• Deve permanecer invariável, isto é, não mudar nunca, a menos que nós próprios o mudemos;

• Deve sobreviver, inalterável, à paixão do nosso amor devorador ou do nosso ódio destruidor;

• Deve depender do nosso amor, deixar-se possuir e mostrar-se sempre disponível para satisfazer os nossos caprichos;

• Mas, mesmo submisso, deve saber conservar a sua autonomia, para não nos estorvar...

Esses ideais, comparáveis aos que guiam a relação da criança pequena com o seu objeto transicional, caracterizam a neurose do amante e nos dão a medida dos seus limites. Expectativas tão exageradas só podem acentuar o afastamento entre a satisfação sonhada do desejo e a sua insatisfação efetiva.

*

Tivemos que fazer esse longo desvio para responder à nossa pergunta sobre a presença do amado no inconsciente, e compreender assim o que perdemos verdadeiramente quando a sua pessoa desaparece. O eleito é, antes de tudo, uma fantasia que nos habita, regula a intensidade do nosso desejo (insatisfação) e nos estrutura. Ele não é apenas uma pessoa, mas uma fantasia construída com a sua imagem, espelho das nossas imagens (*imaginário*), atravessado pela força do desejo (*real*), enquadrado pelo ritmo dessa força (*simbólico*), e apoiado pelo seu corpo vivo (*real*, também), fonte de excitação do nosso desejo e objeto das nossas projeções imaginárias.

Entretanto, é preciso compreender bem que essa fantasia não é somente a representação daquilo que o amado é em nós; ela é também aquilo que nos oculta inextricavelmente para a sua pessoa viva. Ela não é apenas uma formação intra-subjetiva, mas intersubjetiva. Vamos dizer de outra maneira: o amado é uma parte de nós mesmos, que chamamos de "fantasia inconsciente"; mas essa parte não está confinada no interior da nossa individualidade, ela se estende no espaço intermediário e nos liga intimamente ao seu ser. Reciprocamente, o amado é ele próprio habitado por uma fantasia que nos representa no seu inconsciente e o liga ao nosso ser. Vemos como a fantasia é uma formação psíquica única e comum aos dois parceiros, e como, até aqui, era inadequado porém necessário falar da fantasia de um ou da fantasia do outro, do "meu" inconsciente ou do inconsciente "do outro". É isto que queríamos dizer: a fantasia, e mais geralmente o inconsciente que ela manifesta, é uma construção psíquica, um edifício complexo que se ergue, invisível, no espaço intermediário e repousa sobre as bases que são os corpos vivos dos parceiros. Assim sendo, quando nos ocorre perder a pessoa do eleito, a fantasia se abate e desaba como uma construção à qual se retira um dos pilares. É então que a dor aparece.

Assim, à pergunta: O que perdemos quando perdemos a pessoa do ser que amamos? respondemos: Perdendo o corpo vivo do outro, perdemos uma das fontes que alimenta a força do desejo, sem com isso perder essa força que perdura, indestrutível e inesgotável, enquanto tivermos vida. Perdemos também a sua silhueta animada que, como um apoio, mantinha o espelho interior que refletia nossas imagens. Mas, perdendo a pessoa do amado, perdemos ainda o ritmo sob o qual vibra a força real do desejo. Perder o ritmo, é perder o *outro simbólico*, o limite que torna consistente o inconsciente. Em resumo, perdendo quem amamos, perdemos uma fonte de alimento, o objeto de nossas projeções imaginárias e o ritmo do nosso desejo comum. Isso quer dizer que perdemos a coesão e a textura de uma fantasia indispensável à nossa estrutura.

A Dor do enlouquecimento pulsional

> "*Esse enlouquecimento da bússola interior.*"
> Marcel Proust

A perda do amado é uma ruptura não fora, mas dentro de mim.

Voltemos agora às nossas definições de dor. Dissemos que a dor corporal era produzida por uma lesão situada na periferia do nosso ser, isto é, no corpo. Mas do mesmo modo que se acredita, sem razão, que a sensação dolorosa causada por um ferimento no braço se localiza no braço, também se acredita, erroneamente, que a dor psíquica se deve à perda da pessoa do ser amado. Como se fosse a sua ausência que doesse. Ora, não é a ausência do outro que dói, são os efeitos em mim dessa ausência. Não sofro com a falta do outro. Sofro porque a força do meu desejo fica privada do excitante que a sensibilidade do seu corpo vivo significava para mim; porque o ritmo simbólico dessa força fica quebrado com o desaparecimento do compasso que as suas excitações escandiam; e depois porque o espelho psíquico que refletia as minhas imagens desmoronou, por falta do apoio vivo em que o seu corpo se transformara. A lesão que provoca a dor psíquica não é pois o desaparecimento físico do ser amado, mas o transtorno interno gerado pela desarticulação da fantasia do amado.

Nas páginas que precederam as nossas considerações sobre a presença fantasiada do eleito, definimos a dor como a reação à perda do objeto amado. Agora, podemos precisar melhor e dizer que a dor é uma reação não à perda, qualquer que ela seja, mas à fratura da fantasia que nos ligava ao nosso eleito. A verdadeira causa da dor não é pois a perda da pessoa amada, isto é, a retirada de uma das bases que suportavam a construção da fantasia, mas o desabamento dessa construção. A perda é uma causa desencadeante, o desmoronamento é a única causa efetiva. Se perdemos a pessoa do eleito, a fantasia se desfaz e o sujeito fica então abandonado, sem recurso, a uma tensão extrema do desejo, um desejo sem fantasia sobre o qual se apoiar, um desejo errante e sem eixo. Afirmar assim que a dor psíquica resulta do desabamento da fantasia é localizar a sua fonte não no acontecimento exterior de uma perda factual, mas no confronto do sujeito com o seu próprio interior transtornado. A dor é aqui uma desgraça que se impõe inexoravelmente a mim, quando descubro que o meu desejo é um desejo nu, louco e sem objeto. Encontramos assim, sob outra forma, uma das definições propostas no início deste capítulo. Dizíamos que a dor é o afeto que exprime a autopercepção pelo eu da comoção que o devasta, quando é privado do ser amado. Agora que reconhecemos a fratura da fantasia como o acontecimento maior, intra-subjetivo, que se sucede ao desaparecimento da pessoa amada, podemos afirmar que *a dor exprime o encontro brutal e imediato entre o sujeito e o seu próprio desejo enlouquecido.*

É nesse instante de intensa movimentação pulsional que, em desespero de causa, nosso eu tenta salvar a unidade de uma fantasia que desmorona, concentrando toda energia de que dispõe sobre uma pequena parcela da imagem do outro desaparecido; imagem parcelar, fragmento de imagem que se tornará supersaturada de afeto. É então que a dor, logo nascida de um desejo tumultuado, ao invés de reduzir-se, se intensifica. Alguns meses depois, uma vez começado o trabalho do luto, a hipertrofia desse fragmento de imagem do desaparecido diminui, e a dor que se ligava a ele se atenua pouco a pouco.

*

Chegou o momento de concluir. Através das diversas hipóteses que apresentei, quis conduzir insensívelmente o meu leitor para o mesmo caminho que me levou a modificar o meu ponto de vista inicial sobre a dor. Parti da idéia comum de que a dor é a sensação de um ferimento e que a dor *psíquica* é o ferimento da alma. Era a idéia primeira. Se me tivessem perguntado: O que é a dor psíquica? eu teria respondido sem pensar muito: é a desorientação de alguém que, tendo perdido um ser querido, perde uma parte de si mesmo. Agora, podemos responder melhor, dizendo: *a dor é a desorientação que sentimos quando, tendo perdido um ente querido, nós nos encontramos diante da mais extrema tensão interna, confrontados com um desejo louco no interior de nós mesmos, com uma espécie de loucura do interior que fica adormecida em nós, até que uma perda exterior venha arrancar os seus gritos de desespero.*

*

Resumo das causas da dor psíquica

A dor provém da perda da pessoa do amado.

A dor provém da fratura da fantasia que me liga ao amado.

A dor provém da desordem pulsional que reina no Isso, consecutiva à ruptura da barreira que era a fantasia.

A dor provém da hipertrofia de uma das imagens parcelares do outro desaparecido.

*

Uma última palavra sob forma de pergunta: o que podemos fazer com essa teoria psicanalítica da dor que lhes proponho? Ouso dizer simplesmente: não façamos nada. Vamos deixá-la. Vamos deixar a teoria meditar em nós. Vamos deixar que ela aja sem sabermos. Se essa teoria da dor, por mais abstrata que seja, for realmente fecunda, ela terá talvez o poder de mudar a nossa maneira de escutar o paciente que sofre ou o nosso próprio sofrimento íntimo.

Lembremo-nos do tratamento de Clémence, em que a intervenção do psicanalista se situou na encruzilhada da teoria com o inconsciente. Por sua maneira de acolher o sofrimento, de afinar-se com ele e de apresentar as palavras decisivas que comutaram o mal insuportável em dor simbolizada, o psicanalista agiu graças ao seu saber teórico, mas também com o seu inconsciente. Ao fazer isso, pelo seu saber sobre a dor e o seu saber originário da transferência, ele acalmou a dor dando-lhe uma moldura. Tomou o lugar do *outro simbólico* que, na fantasia de Clémence, fixava o ritmo do seu desejo, esse outro que Clémence tinha perdido ao perder o seu bebê.

Diante da dor de seu paciente, o analista se torna um *outro simbólico*, que imprime um ritmo à desordem pulsional, para que a dor se acalme enfim.

Quadro comparativo entre a Dor corporal e a Dor psíquica

DOR CORPORAL	DOR PSÍQUICA OU DOR DE AMAR	
	A. *Perda do ser amado*	B. *Perda de integridade corporal*
• A lesão está localizada no corpo.	• A lesão está localizada, erroneamente, no mundo exterior: desaparecimento da pessoa do amado. Na verdade, ela está situada no ponto em que a minha sensibilidade mais íntima se arrancou da sensibilidade do outro amado; no ponto em que a minha *imagem* interior vacila, por falta do suporte que era a sua pessoa; e no ponto em que o meu sistema *simbólico* falha, por falta do eixo que era o ritmo do nosso casal. A lesão está no desabamento da fantasia.	• Gostamos do nosso corpo como o outro mais amado. Ser amputado de uma perna causa a mesma dor atroz interior que perder o ser mais caro. Essa perda exige um verdadeiro trabalho de luto, que nos ensinará a amar o novo corpo desprovido de perna.
• A dor é vivida erroneamente, no corpo, mas na verdade ela está no cérebro, quanto à sensação dolorosa e no eu, quanto à emoção dolorosa.		• A lesão que provoca a dor corporal se situa no nível da amputação, mas a lesão que causa dor psíquica se situa em três planos diferentes, semelhantes aos que definem a perda do ser amado: o da *sensibilidade* (a perna é uma parte do meu todo sensível): o do *imaginário* (a imagem da ausência da perna muda a imagem do meu corpo); e o do simbólico (a ordem psíquica perde uma das suas maiores referências que é a integridade do corpo).
• A dor nos parece exterior e remediável. Ela me incomoda como um mal provisório.	• A dor nos parece interior, absoluta, irremediável, e às vezes até necessária. Ela está em mim como a minha substância vital.	

Arquipélago da Dor

O inconsciente é um conservador da dor. Ele não a esquece.

*

Duas espécies de dores psíquicas

Existem duas maneiras de reagir dolorosamente à perda do ser amado. Quando estamos preparados para vê-lo partir, porque está condenado pela doença, por exemplo, vivemos a sua morte com uma dor infinita, mas representável. Como se a dor do luto fosse nomeada antes de aparecer, e o trabalho do luto já estivesse começado antes do desaparecimento do amado. Assim a dor, embora insuportável, fica integrada ao nosso eu e se compõe com ele. Se, ao contrário, a perda do outro amado é súbita e imprevisível, a dor se impõe sem reservas e transtorna todas as referências de espaço, tempo e identidade. Ela é invivível porque é inassimilável pelo eu. Se devêssemos designar qual desses dois sofrimentos merece plenamente o nome de dor, escolheríamos o segundo. A dor é sempre marcada com o selo da subitaneidade e do imprevisível.

*

Como se experimenta corporalmente a dor psíquica?

Nos primeiros instantes, a dor psíquica é vivida como um ataque aniquilador. O corpo perde a sua armadura e cai por terra como uma roupa cai do cabide. A dor se traduz então por uma sensação física de desagregação e não de explosão. É um desmoronamento mudo do corpo.

Ora, os primeiros recursos para conter esse desmoronamento, e que tardam a vir, são o grito e a palavra.

O antídoto mais primitivo contra a dor ao qual os homens recorreram desde sempre é o grito, quando pode ser emitido. Depois, são as palavras que ressoam na cabeça, e que tentam lançar uma ponte entre a realidade conhecida de antes da perda e aquela, desconhecida, de hoje. Palavras que tentam transformar a dor difusa do corpo em uma dor concentrada na alma.

A verdadeira causa da dor está no Isso

O homem só tem que temer a si mesmo, ou melhor, o homem tem apenas o Isso a temer, verdadeira fonte da dor.

*

A dor vinda do Isso é um estranho com o qual coabitamos, mas que não assimilamos. A dor está em nós, mas não é nossa.

*

Aquele que sofre confunde a causa que desencadeia a sua dor e as causas profundas. Confunde a perda do outro amado e os transtornos pulsionais que essa perda acarreta. Acredita que a razão da sua dor está no desaparecimento do amado, enquanto a verdadeira causa não está fora, mas dentro do eu, nos seus alicerces, no reino do Isso.

*

Não há dor sem o eu, mas a dor não está no eu; está no Isso. Para que haja dor, são necessários três gestos do eu: que ele ateste a irremediável realidade da perda do amado, que perceba a maré pulsional que invade o Isso — verdadeira fonte da dor — e que ele traduza essa endopercepção em sentimento doloroso.

*

A dor inconsciente

Muitas vezes, o paciente sofre sem saber por que está triste nem que perda sofreu. Outras vezes, é habitado pela dor, sem mesmo saber que sofre. É o caso do alcoólatra que ignora que uma profunda dor está na origem da sua sede compulsiva. Bebe para embriagar seu eu e neutralizar assim a sua capacidade de perceber as turbulências no Isso. As turbulências pulsionais estão ali, mas o eu anestesiado pelo álcool não chega a traduzi-las em emoção dolorosa. Como se o álcool tivesse como efeito neutralizar a função do eu, tradutor da língua do Isso em língua dos sentimentos conscientes.

*

Microtraumas e dor inconsciente

Um trauma psíquico pode se produzir seja pelo choque brutal da perda do ser amado, seja por ocasião de um acontecimento inócuo que vem acrescentar-se a uma longa série de microtraumas não sentidos pelo sujeito. Cada um desses traumas pontuais provoca uma imperceptível dor, da qual o sujeito não tem consciência. A acumulação progressiva dessas múltiplas dores cria um tal estado de tensão que basta a faísca de um acontecimento inócuo para liberar a dor até então contida e vê-la explodir sob forma consciente. O menor acontecimento desencadeador pode ser tanto exterior quanto interior ao eu. Uma lembrança ou um sonho insignificante pode aparecer em circunstâncias tão precisas que libera um afluxo selvagem de excitações internas, que transbordam e ferem o eu. Esse estado é então vivido sob a forma de uma dor do trauma.

*

Quem é o outro amado?

O amado é um excitante para nós, que nos deixa crer que ele pode levar a excitação ao máximo. Ele nos excita, nos faz sonhar e nos decepciona. Nosso amado é nossa carência.

O amado não é um outro, mas uma parte de nós mesmos que recentra o nosso desejo.

*

A pessoa do amado

A pessoa do amado é como um *cabide* no qual se penduram as nossas pulsões, até cobri-lo com inúmeras camadas de afetos.

*

Aquele que amo é aquele que me limita

A representação mais singular do meu amado, a que será superinvestida imediatamente depois do seu desaparecimento, é a representação do que eu não posso ter, mas também do que não quero ter: a satisfação absoluta. O amado representa um limite, representa o meu limite. Assim, não só o amado me dá a minha imagem, garante a consistência da minha realidade e torna tolerável a minha insatisfação, mas também representa o freio para o desmedido de uma satisfação absoluta que eu não poderia suportar. Em resumo, o eleito — que qualificamos de amado, mas que também pode ser odiado, temido ou desejado — representa a minha barreira protetora contra um gozo que eu considero perigoso, embora o saiba inacessível. Pela sua presença real, imaginária e simbólica, ele é, no exterior, o que o recalcamento é no interior. Essa barreira viva, que me evita os gozos extremos e me garante uma insatisfação tolerável, não me impede por isso de sonhar com o gozo absoluto. Pelo contrário, o meu eleito alimenta as minhas ilusões e me incita a sonhar.

Assim, compreende-se por que se sofre quando o outro eleito desaparece. Com ele, desaparecem as insatisfações cotidianas e toleráveis dos meus desejos, e eu me torno então todo insatisfação ou, o que dá no mesmo, todo satisfação. O que a morte do outro acarreta de essencial é a morte de um limite. Assim, o trabalho do luto é a reconstrução de um novo limite.

*

Minha fantasia do amado

A *fantasia* é uma coleção complexa de imagens e de significantes, dispostos em um anel giratório em torno do buraco da insatisfação. No centro desse buraco se ergue a pessoa viva do amado.

*

A fantasia que tenho do meu amado é a base do meu desejo. Se o amado morre, a fantasia desaba e o desejo enlouquece.

*

A fantasia que alimento em relação ao outro amado pode ser tão invasora e exclusiva que me impede de estabelecer novos laços com novos eleitos, isto é, de criar novas fantasias. Um exemplo de fantasia invasora é o de uma jovem mulher que, tendo sido tão apegada ao pai, desenvolveu uma fantasia tão coagulada, que tornou-se impossível para ela criar um novo laço de amor com um homem. Outro exemplo de fantasia invasora é o do rancor inabalável por um eleito que nos humilhou. Aqui, o eleito é um eleito odiado, e não amado.

*

Pode haver uma fantasia do amado reguladora do nosso inconsciente sem que ela corresponda na realidade a uma pessoa precisa. É o caso de uma fantasia doente desmedidamente desenvolvida, muitas vezes invasora, e que se basta a si mesma. A ilustração mais impressionante dela é o *luto patológico*. A pessoa enlutada continua a fantasiar o seu eleito morto como se ele estivesse vivo. Ou ainda o caso do *delírio erotomaníaco*, organizado em torno de uma fantasia desenvolvida de modo tão desproporcional que ela faz existir artificialmente um laço de amor no qual o delirante se atribui a si mesmo o papel do eleito junto a uma pessoa estranha.

*

A dor é a certeza do irreparável

Quando há dor em reação a uma perda, é porque o sujeito sofredor considera essa perda como irreversível. Pouco importa a verdadeira natureza da perda, seja ela real ou imaginária, definitiva ou passageira, o que importa é a convicção absoluta com a qual o sujeito crê a sua perda irreparável. Uma mulher pode viver a partida do seu amante com uma imensa infelicidade e considerá-la como um abandono definitivo, enquanto na realidade ela se revelará temporária. Sua dor nasce da certeza absoluta com a qual ela interpreta a ausência do seu amado como sendo uma ruptura sem volta. Aqui, não há nem dúvida nem razão que tempere, apenas certeza e dor. A dor permanece indissociável da certeza, e incompatível com a dúvida. Assim, o sentimento penoso que acompanha a dúvida não é dor, mas angústia. A angústia nasce na incerteza de um perigo temido; ao passo que a dor é a certeza de um mal já realizado.

*

O amado morto é considerado como insubstituível

Digo que o eleito é "considerado" como insubstituível, e não que ele o é. Somos nós que lhe atribuímos o poder de ser único, tanto em vida quanto imediatamente após o seu desaparecimento. Durante sua vida, agimos guiados pela convicção tácita de que ele é o nosso único eleito. Se ele desaparece, essa convicção se faz explícita e se torna uma certeza dolorosa: ninguém mais nunca poderá substituí-lo. Todavia, é verdade que, com o tempo, uma vez acabado o luto, outra pessoa virá ocupar o lugar do eleito.

*

Amor e dor

O eu é como um espelho em que se refletem as imagens de partes do nosso corpo ou aspectos do nosso amado. Um excesso de investimento de uma dessas imagens significa amor se a imagem se apóia sobre a coisa real da qual ela é o reflexo. Em contrapartida, o mesmo excesso de investimento significa dor se o suporte real nos deixou.

*

O amor cego que nega a realidade da perda e, ao contrário, a resignação lúcida que a aceita, eis os dois extremos que dilaceram o eu e suscitam dor. A dor psíquica pode se resumir em uma simples equação: um amor grande demais dentro de nós por um ser que não existe mais fora.

*

Dois modos da dor do luto

A dor de amar o desaparecido, mesmo sabendo-o perdido para sempre, é um sofrimento que pode ocorrer no próprio momento da perda, ou então ressurgir episodicamente ao longo do período de luto. Embora sempre se trate da mesma dor, ela se apresenta diferentemente segundo os seus aparecimentos: súbita e maciça em resposta imediata à perda; ou episódica durante o luto. Para distinguir bem essas duas manifestações, devemos apresentar a nossa concepção de luto.

*

O luto é um processo de desamor, e a dor do luto é uma pressão de amor

O luto é um longo caminho, que começa com a dor viva da perda de um ser querido e declina com a aceitação serena da realidade do seu desaparecimento e do caráter definitivo da sua ausência. Durante esse processo, a dor aparece sob a forma de acessos isolados de pesar. Para compreender a natureza dessas pressões dolorosas, é preciso pensar o luto como um lento trabalho graças ao qual o eu desfaz pacientemente o que tinha atado com urgência, na hora do golpe da perda. O luto é desfazer lentamente o que se coagulara precipitadamente. De fato, para conter os efeitos devastadores do trauma, o eu percorre, excessivamente carregado de afeto, a representação do ser eleito e desaparecido. Agora, durante o período de luto, o eu percorre o caminho inverso: pouco a pouco, desinveste a representação do amado, até que esta perca a sua vivacidade e deixe de ser um corpo estranho, fonte de dor para o eu. Desinvestir a representação significa retirar-lhe o seu excesso de afeto, reposicioná-la entre as outras representações e investi-la de outra forma.

Assim, o luto pode se definir como um lento e penoso processo de *desamor* em relação ao desaparecido, para amá-lo de outra forma. Vamos nos explicar. Com o luto, a pessoa enlutada não esquece o morto nem deixa de amá-lo; ela apenas tempera um apego demasiado excessivo e reativo à perda brutal.

Ora, agora que definimos o luto como um processo de desamor, compreendemos que a dor ocorra a cada vez que um acesso de amor se reaviva. A dor no luto corresponde, com efeito, ao reinvestimento momentâneo de uma imagem em vias de desinvestimento. É o que se produz quando a pessoa enlutada encontra incidentalmente na realidade um ou outro detalhe que lembre o amado no tempo em que estava vivo. Nesse momento em que a representação do morto é reanimada pela força da lembrança e o sujeito deve novamente render-se à evidência da perda irreversível, a dor volta. Vamos dizer claramente: há dor a cada vez que a imagem do ser desaparecido é reanimada e, simultaneamente, eu me curvo à evidência do incontestável desaparecimento do outro. Os acessos de dor que pontuam o luto são pois impulsos de um amor tenaz que não quer desaparecer.

*

A saudade é uma mistura de amor, dor e gozo:
sofro com a ausência do amado
e gozo em oferecer-lhe a minha dor

Mesmo dolorosa, a lembrança do amado perdido pode suscitar o gozo de oferecer nossa dor como homenagem ao desaparecido. Amor, dor e gozo se confundem aqui. Amar o outro perdido certamente faz sofrer, mas esse sofrimento também acalma, pois ele faz reviver o amado para nós.

*

Luto patológico

No luto patológico, a sobrecarga afetiva se cristalizou para sempre na representação psíquica do amado perdido, como se quiséssemos tentar em vão ressuscitá-lo. O luto patológico é o amor congelado em torno de uma imagem.

*

"Não quero que minha dor cesse!"

As manifestações da dor — abatimento, grito e lágrimas — a mantêm como se a pessoa que sofre estivesse arrastada pelo desejo inconsciente — um desejo que não tem nada a ver com o masoquismo — de viver plenamente a prova dolorosa.

Os que sofrem porque perderam o ser amado experimentam uma dor atroz, que no entanto fazem questão de suportar. Querem sofrer porque sua dor é uma homenagem ao morto, uma prova de amor. A dor é um gozo que é preciso esgotar, uma tensão que é preciso descarregar através dos gritos, das lágrimas e das contorções. Como se o ser dolorido exclamasse: "Deixem-me em paz! Não me consolem. Deixem-me consumir a minha dor!"

*

A angústia é uma reação à falta imaginária

A angústia é a reação à ameaça da perda de objeto, isto é, à idéia de que nosso amado possa faltar. Assim, a angústia é associada à representação consciente daquilo que pode ser a ausência do outro amado. Em termos lacanianos, diríamos: a angústia surge quando imagino a falta; ela é uma resposta à falta imaginária.

*

Três formas de *angústia*: a angústia diante da ameaça de perder o ser amado, a angústia diante da ameaça de perder o órgão amado (angústia de castração), e a angústia diante da ameaça de perder o amor do nosso amado, à guisa de castigo por um erro real ou imaginário que eu assumo (angústia moral ou culpa).

*

Quadro comparativo dos afetos

A DOR	é uma reação à *perda* do amado, à *perda* do seu *amor*, à *perda* da minha *integridade corporal*, ou ainda à *perda* da *integridade* da minha *imagem*.
O CIÚME	é uma variante da dor psíquica. É a reação a uma *suposta* perda do amor que o amado me dedicava e que ele desvia para um rival. O ciúme é um afeto em que se misturam a dor de ter perdido o amor do amado, a integridade da minha imagem narcísica, o ódio contra o meu rival e, enfim, as acusações que eu me faço por não ter sabido conservar o meu lugar.
A ANGÚSTIA	é uma reação à *ameaça* de uma *eventual* perda do ser amado ou do seu amor.
A CULPA	é uma variante da angústia. É uma reação à ameaça de que o ser amado me retire o seu amor, à guisa de *castigo* por uma falta real ou imaginária, que eu cometi ou poderia cometer.
A HUMILHAÇÃO NARCÍSICA	é um ferimento na imagem que alimento de mim mesmo.
O ÓDIO	é uma reação ao ferimento da minha imagem, provocado pelo outro amado. O ódio é uma mobilização de *toda a minha violência para atacar o outro* na sua própria imagem. Violência que reabilita a imagem ferida de mim mesmo e me dá consistência: odeio, logo sinto-me ser.

A Dor Corporal:
uma Concepção
Psicanalítica

A Dor da lesão

*

A Dor da comoção

*

A Dor de reagir

*

Perguntas e respostas sobre a Dor corporal

Em geral, pensamos que a dor física depende exclusivamente do domínio da neurofisiologia e só afeta o psiquismo quando se reflete na pessoa do homem sofredor. Como se houvesse, de um lado, o fenômeno doloroso que se explica cientificamente pela transmissão da mensagem nociceptiva no seio do sistema nervoso, e do outro lado as inevitáveis conseqüências psicológicas e sociais que, por exemplo, uma dor crônica acarreta. Haveria a dor, e depois os seus prolongamentos emocionais. Sabemos a importância, para um clínico — médico ou psicanalista — de escutar não só o sofrimento corporal do paciente, mas também as perturbações psicológicas que ele provoca. Entretanto, preferimos ocupar-nos aqui não das repercussões do distúrbio doloroso, mas da sua origem psíquica; mais exatamente do fator psíquico que intervém na gênese de toda dor corporal.

Ressaltamos que o nosso interesse de definir o melhor possível o componente psíquico do fato doloroso é curiosamente compartilhado pelos pesquisadores atuais em neurociências. Fiquei surpreso ao descobrir, por exemplo, as dúvidas e interrogações dos cientistas da *International Association for the Study of Pain* (IASP), a respeito da incidência do psiquismo na neurofisiologia da dor. Sem conseguir explicar-se formalmente, eles consideram o fator psíquico como uma das causas principais da emoção dolorosa, cujos mecanismos continuam inexplorados. Especificamente, consideram que esse fator desconhecido seria também o responsável por uma dor corporal muito atípica, qualificada de "psicogênica", isto é, de origem exclusivamente psíquica. Trata-se de uma sensação dolorosa efetivamente sentida pelo sujeito, mas sem nenhum motivo que a explique.

Assim, a definição oficial de dor proposta pela IASP deixa transparecer essas diversas incertezas quanto ao papel do fator psíquico. Desejo reproduzir aqui os termos exatos dessa definição: a dor seria "uma experiência sensorial e emocional desagradável, associada a uma lesão tissular real ou potencial, ou ainda descrita em termos que evocam essa lesão". Relendo essas linhas, medimos a ambigüidade do termo "dor". Mais do que uma sensação, ela é emoção, e até uma emoção que pode nascer sem lesão tissular responsável: "uma experiência... descrita em termos que *evocam* essa lesão". Vemos como essa definição reconhece a existência de uma dor real, isto é, concretamente sentida e deplorada pelo paciente, mas sem ter, necessariamente, uma agressão orgânica que a justifique. Em resumo, a IASP reconhece que a dor poderia existir apenas no plano do vivido e na queixa que a exprime.

Mede-se assim a extensão do campo da dor, que excede largamente uma concepção estritamente neurofisiológica, e compreende-se por que atualmente é necessário abrir novos caminhos na pesquisa psicanalítica para bem situar a parte do psiquismo na determinação do fato doloroso.

*

Assim sendo, se desejamos saber por que nossos pacientes sofrem e por que nós mesmos sofremos, é preciso tomar a lente da metapsicologia e descer até o centro do eu, para descobrir a psicogênese da dor. Queremos penetrar na trama íntima das representações inconscientes, definir o melhor possível as flutuações das tensões psíquicas e compreender assim a incidência irredutível do psiquismo no nascimento da dor

O modelo freudiano da dor física

corporal. A prática da psicanálise nos ensina que uma dor intensa sempre nasce de um transtorno do eu, mesmo momentâneo; e que uma vez ancorada no inconsciente, ela reaparecerá, transfigurada em acontecimentos penosos e inexplicados da vida cotidiana.

Vamos então estudar a dor física seguindo os três tempos da sua gênese: lesão — comoção — reação. No início, nós nos basearemos sobre a nossa leitura do "Projeto de uma psicologia científica", texto de 1895[5] que contém os germes dos conceitos maiores da psicanálise. Nessas páginas, muitas vezes difíceis, Freud tenta construir um modelo energético do sofrimento corporal. Posteriormente, na seqüência das suas raras considerações sobre o fenômeno doloroso, ele nunca será tão preciso e rigoroso.

Antes de começar o nosso estudo, devo introduzir uma observação terminológica relativa ao vocábulo "eu", que utilizaremos diversamente ao longo do nosso livro. A fim de segurar firmemente o fio da minha demonstração, eu me servirei do *eu* como de um conceito maleável. Verão que ele designa sucessivamente diferentes funções e estados psíquicos, como o eu-pessoa, o eu-corpo, o eu-consciência, o eu-órgão endoperceptor, o eu-memória inconsciente, e enfim o eu-inibidor. Todos esses valores que atribuímos ao conceito-curinga de *eu* podem se agrupar em duas grandes acepções: em uma, o vocábulo "eu" qualifica o "si-mesmo" de uma pessoa global distinta dos outros indivíduos; na outra, designa uma instância particular do aparelho psíquico, caracterizada por atributos e funções específicos. Essas diversas acepções não são de modo algum arbitrárias, cada uma delas correspondendo a uma definição ou emprego do termo "eu" proposto por Freud em um momento ou outro da sua obra.

Depois dessa precisão de vocabulário, vamos agora tentar compreender como uma dor nasce no corpo e se transforma em dor inconsciente.

A Dor da lesão

Vamos tomar o exemplo de uma queimadura grave no braço. Depois de um breve momento de espanto em que fica anestesiado pelo choque, o eu sente a dor local de uma queimadura no braço, e experimenta imediatamente a dor indefinida e penetrante de um transtorno interior. O eu opera pois duas percepções simultâneas: percebe ao mesmo tempo uma dor que ele localiza no nível da lesão externa, e um estado de comoção interna que o invade. Essas percepções, misturadas na vivência de um mesmo afeto doloroso são, todavia, bem distintas. Assim vamos considerar sucessivamente a dor produzida pela lesão e a dor própria à comoção. Abordaremos depois o terceiro tempo da gênese da dor, o da reação. Para defender-se contra a comoção, o eu reage desajeitadamente, aumentando paradoxalmente a sua dor, ao invés de reduzi-la.

Comecemos pela dor da lesão. Ela é o afeto sentido pelo eu quando sofre uma lesão dos tecidos, que se traduz, do ponto de vista energético, por uma excitação brutal percebida imaginariamente na periferia. Quer se trate de uma agressão aos invólucros externos do corpo, quer se trate dos órgãos internos, toda lesão será imaginariamente sentida pelo eu que sofre como uma agressão periférica. De fato, o corpo é vivido pelo eu como a sua periferia viva e sensível, além da qual se estenderia o mundo exterior.[6] Assim, toda lesão corporal, seja um ferimento cutâneo superficial ou uma profunda necrose do miocárdio, será, aos olhos do eu sofredor, uma ruptura fronteiriça, ou mais exatamente uma lesão invariavelmente periférica. Mas vamos precisar que, em caso de acidente muito grave, o eu não mais é dissociado do corpo e não mais o percebe como um invólucro periférico protetor. Nesses momentos em que *somos* o nosso corpo transtornado, não há mais lesão corporal, pois é todo o ser que se rompe.

Toda lesão dolorosa do corpo será percebida como uma lesão e uma dor externa, porque o próprio corpo é percebido imaginariamente como um invólucro denso e sensível que nos contém e nos carrega.

A percepção imaginária do ferimento e da dor, e sua representação mental

A percepção de uma excitação dolorosa situada imaginariamente na periferia — nossa queimadura, por exemplo — imprime imediatamente no eu a imagem do local lesado do corpo. A sensação dolorosa é assim reavivada pelo nascimento da representação mental da chaga. O sujeito sente então uma ardente dor, e simultaneamente, visualiza uma imagem difusa do braço em carne viva. A percepção da chaga não é pois apenas a captação de uma mudança brutal do estado dos tecidos protetores; ela age também como um estilete que fixa na consciência a representação mental da região lesada. Chamamos essa representação, que terá um papel decisivo no terceiro tempo do processo doloroso, de "representação do local lesado e dolorido do corpo".[7]

Ora, essa imagem mental do ferimento, nascida da percepção da lesão, localiza e fixa a dor vivida. Ao sentir dor, a pessoa queimada acredita que a sua dor está toda reunida na chaga, e só emana dali, daqueles tecidos agredidos. Como se a fonte do sofrimento se reduzisse apenas à extensão da queimadura. A vivência dolorosa parece tão localizada e concentrada na chaga que a região dolorida parece autonomizar-se e erguer-se como uma excrescência tirânica destacada do corpo, que mina e enfraquece o eu. A percepção sensorial da lesão formou a imagem mental do ferimento, acompanhada não só do sentimento de que a sede da dor está na chaga e de que a chaga é periférica, mas também da impressão de que o local doloroso, destacado do corpo, se erigiu como um rebento hostil. Sem dúvida, sem lesão não haveria dor, mas a dor não está na chaga, está no eu, inteiramente condensada em uma imagem interior ao eu, na imagem do local lesado.

Para resumir, digamos que o eu é um captor sensível das mudanças tissulares, mas um mau cartógrafo. Não só ele identifica toda lesão corporal com uma lesão periférica, mas, além disso, engana-se quando crê que

> "A dor física nos põe em oposição com nosso corpo, que se mostra inteiramente estranho ao que está em nós."
> Valéry

Sem os olhos, não veríamos, mas a visão não está nos olhos, está no lobo occipital do cérebro.

a fonte da dor está na lesão. A dor não está na lesão, está no cérebro quanto à sensação dolorosa, e nos alicerces do eu — no Isso — quanto à emoção dolorosa.

Em suma, a dor da lesão comporta três aspectos: real, simbólico e imaginário.

• *Real*: percepção somato-sensorial de uma excitação violenta que afeta os tecidos orgânicos.

• *Simbólico*: formação súbita de uma representação mental e consciente do local do corpo onde a lesão se produziu.

• *Imaginário*: como o corpo é vivido na periferia, toda lesão será vivida como periférica. A sensação dolorosa, referida imaginariamente à sede da lesão, parece emanar apenas do ferimento, e o ferimento parece instituir-se como um segundo corpo.

*

A Dor da comoção

Vejamos agora a dor da comoção, e vamos logo precisar que ela não se produz se a excitação sensorial é de fraca intensidade. É necessária uma estimulação suficientemente forte que, além da lesão tissular, desencadeia um trauma interno.

Já dissemos que a dor resulta de uma dupla percepção, uma voltada para fora (percepção externa) para captar a lesão e a sensação dolorosa, e a outra voltada para o interior (percepção interna), para captar o transtorno psíquico que se segue. A primeira é chamada pelos cientistas de "somato-sensorial", e chamamos a segunda de "somato-pulsional". Para retomarmos o exemplo da queimadura, o sujeito percebe ao mesmo tempo a dor que emana do seu braço ferido e o sofrimento interior que o abala. A dor da lesão o incomoda na fronteira do seu corpo, enquanto a da comoção o consome a partir do interior. Tudo acontece como se houvesse primeiro a lancinante sensação de queimadura no braço, localizada em um ponto da periferia: "Tenho dor" significa que circunscrevo e, afinal, enfrento a dor. Mas logo se eleva, do âmago do ser, uma outra dor, bem diferente, essencial e profunda. Essa dor, não a possuo, é ela que me possui: "Sou dor."

E qual é esse outro sofrimento que se apodera do eu e o marca até o fundo com o selo da infelicidade? Para responder, vamos reler agora a teoria da dor física elaborada no "Projeto" e vamos aplicá-la ao caso da queimadura. Diremos então que o calor da chama que atacou a pele se transformou imediatamente em uma corrente de energia interna, devastadora e não controlada, que mergulha o eu em um estado de choque traumático. Pela brecha aberta na barreira de proteção irrompe, no seio do eu, um afluxo súbito e maciço de energia, que submerge não o corpo, mas o psiquismo no seu próprio núcleo (neurônios da lembrança). Com isso, a homeostase do sistema psíquico é rompida e o seu princípio regulador — o princípio de prazer — encontra-se momentaneamente abolido (Fig. 2). É então que o eu, embora transtornado, consegue autoperceber o seu próprio transtorno, isto é, a perturbação das suas tensões pulsionais. Essa singular autopercepção pelo eu do seu estado de comoção interna — percepção somato-pulsional — cria a emoção dolorosa.

A memória inconsciente da dor

A dor é o último fruto
— este sim, imortal —
da juventude.
René Char

Assim como o impacto da excitação externa e local forma no eu a imagem da zona lesada e dolorida, a violência da comoção deixa as suas marcas. Mais uma vez, trata-se da formação de uma imagem, mas muito

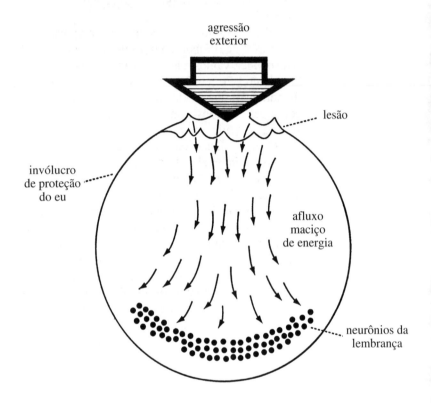

Figura 2

A dor resulta de uma lesão do invólucro de proteção do eu e de um afluxo maciço de energia, que atinge os neurônios da lembrança. O eu é representado aqui sob a forma simplificada de uma vesícula viva.

> "Não é sob forma de lembrança que o fato esquecido reaparece, mas sob forma de ação. O doente repete, sem saber que se trata de uma repetição."
>
> Freud

A dor do passado volta no presente como uma nova dor, uma culpa, uma passagem ao ato, até como uma afecção psicossomática.

diferente da imagem imediata e local elaborada conscientemente fora da lesão. O abalo interno é tão transtornador e doloroso, que a sua imagem fica impressa não só na memória comum que nos restitui o passado como lembrança consciente, mas também fica gravada no solo do inconsciente, que também é memória, uma memória completamente diferente. De fato, o inconsciente encerra o passado, mas não o reflete na superfície da consciência. Assim, a dor da comoção fica marcada no inconsciente, mas seus retornos assumirão outras figuras além da única lembrança de um episódio infeliz. Certamente, a pessoa que sofreu um traumatismo pode se lembrar das circunstâncias do acidente, reencontrar as sensações insuportáveis que experimentou e viver com medo de uma nova agressão, mas há outras formas de retorno do traumatismo que ela ignora. A dor passada ressurgirá de modo inesperado, em outro lugar que não o espírito. Talvez na carne, convertida em outra dor; ou encarnada em uma lesão psicossomática; ou ainda na consciência, transfigurada em um outro afeto, tão opressor quanto a culpa, por exemplo; e até transformada em um ato impulsivo. Tudo isso são eventualidades pelas quais a dor de outrora volta no presente, sem que identifiquemos esses retornos como ressurgências de um sofrimento esquecido. Eis por que qualificamos de inconsciente uma antiga dor corporal que voltou no presente, transfigurada. Gravada no inconsciente, ela reaparece sob diversos aspectos que se impõem a nós, sem que saibamos. O sujeito repete — escreve Freud — mas sem saber que se trata de uma repetição.

É assim que distinguimos nitidamente uma primeira e muito penosa experiência dolorosa da sua reprodução posterior. Uma coisa é a experiência passada de uma dor violenta provocada por um incidente real, como a queimadura, outra coisa é o seu reaparecimento, transfigurada em uma nova sensação, uma lesão psicossomática, um afeto ou uma ação penosa. Enquanto que a dor do passado tinha sido provocada por um agente externo, as manifestações dolorosas de hoje podem ser suscitadas por uma estimulação externa ou interna, muitas vezes insignificante e imperceptível. Vamos formular isso mais claramente. A partir do momento em que uma primeira experiência dolorosa se grava no psiquismo e reaparece irreconhecível, ela assume o estatuto de dor inconsciente. Mas como explicar a passagem de uma intensa dor corporal para uma dor inconsciente?

Dizíamos que, quando da comoção, o raio fulminante de energia atingia o núcleo central do eu (Fig.2). Ora, é justamente ali, no centro do eu, que se grava a experiência traumática. Para mostrar melhor essa capacidade do eu de conservar os vestígios inconscientes das provações que ele enfrenta, devo deter-me um instante e descrever rapidamente os elementos constitutivos do eu.

Na época do "Projeto", Freud imagina que o eu é composto de dois elementos essenciais: uma "energia" que circula tendendo para a descarga, e "neurônios" que a veiculam. Uma parte da energia provém do exterior e outra se propaga no interior, no espaço intra e interneuronal. Quanto aos neurônios, estes se subdividem em três grupos. Um grupo, localizado na periferia do eu, tem por função perceber as estimulações do mundo exterior.[8] Um segundo, situado no centro do eu, composto de "neurônios da lembrança", tem por função não perceber, mas conservar os vestígios dos acontecimentos marcantes.[9] É precisamente esse grupo que se tornará, no pensamento freudiano, o "sistema inconsciente". De fato, o neurônio da lembrança é o antepassado conceitual da noção freudiana de representação inconsciente. Do mesmo modo que a *representação psíquica* comporta dois elementos indissolúveis, um conteúdo figurativo dito "representante" e a energia que o investe, o *neurônio da lembrança* contém os vestígios ou a imagem mnêmica de um acontecimento passado e o afeto que a carrega. Nesses dois casos, estamos diante de um conteúdo representativo e do seu investimento afetivo.

Os neurônios da lembrança

Enfim, o terceiro conjunto neuronal opera, como o primeiro, uma função de percepção dirigida não para o mundo exterior, mas para o interior, para captar as flutuações da energia interna. Esses neurônios perceptivos têm não apenas a tarefa de detectar as variações da tensão psíquica, mas também a de repercuti-las na consciência, sob a forma de afetos agradáveis, desagradáveis ou dolorosos. Agradáveis quando o ritmo do fluxo energético é sincrônico, desagradáveis quando ele é acelerado e assincrônico, e dolorosos quando o ritmo é enlouquecido ou rompido.

O que devemos guardar desse quadro sintético? Primeiro, que a ficção do eu imaginada por Freud no início do século continua sendo, com algumas variantes, a matriz da vida psíquica, tal como a maioria dos psicanalistas a concebem hoje. Ficção impressionante pelos ecos que ela desperta nos progressos científicos atuais. E guardemos ainda o conceito de "neurônios da lembrança", que nos servirá para compreender a passagem de uma dor física para uma dor inconsciente.

A passagem de uma dor corporal para uma dor inconsciente

"... *a dor deixa atrás de si rastros permanentes nos neurônios da lembrança.*"
Freud

Mostramos que o eu, transtornado pela irrupção maciça de uma implacável energia, consegue todavia autoperceber o seu estado de comoção interna, e que a dor resulta da tradução, na consciência, dessa autopercepção. Também dissemos que o afluxo maciço de excitação, entrando pela brecha da lesão, penetra até o grupo central dos "neurônios da lembrança". A passagem violenta do fluxo energético acarreta duas conseqüências: a inscrição de uma imagem mnêmica em alguns desses neurônios e uma excitabilidade aumentada do conjunto neuronal. A imagem que ficará gravada no neurônio é a de um detalhe da agressão ou do objeto agressor. Retomando o exemplo da queimadura, um aspecto do fogo poderá ser retido, a sua crepitação, o seu cheiro, as suas cores, ou então um

Um sonho doloroso de mutilação pode provocar, ao despertar, uma dor paralisante na perna.

elemento do contexto do acidente. Ora, essa imagem inscrita para sempre no eu pela comoção é muito diferente da imagem impressa pela lesão. Não se trata mais da representação consciente da sede da lesão, mas de uma imagem não percebida pela consciência, representando uma particularidade do acidente. O eu guardará pois na memória a "foto" de um detalhe da agressão, uma imagem mnêmica definitivamente associada à experiência dolorosa. Entretanto, o neurônio que conserva essa imagem fica extremamente irritável. Fica pronto a reagir a uma eventual excitação suscetível de levá-lo a descarregar a sua energia sob a forma de uma nova dor, de uma lesão, uma ação ou um afeto penoso. Freud propôs o termo de "trilhamento" para designar esse fenômeno de sensibilização dos neurônios da lembrança. O afluxo de energia sensibilizou de tal forma os neurônios que fracas excitações bastarão para reativá-los e reanimar as imagens que eles contêm. Essas excitações não serão mais brutais como fora a queimadura, mas imperceptíveis e de mais fraca intensidade; essas estimulações poderão ser externas ou internas. Assim, logo que a imagem mnêmica da agressão é reativada por uma dessas excitações desapercebidas, pode aparecer, por exemplo, uma nova dor, menos violenta que a primeira e situada em um ponto do corpo diferente do que foi afetado pelo acidente inicial. Nesse caso, o sujeito experimentará uma sensação dolorosa inexplicada, isto é, sem causa orgânica detectável. Ele sofrerá então, sem saber que a sua dor presente é a lembrança agida de uma dor passada.

Desejo deter-me um instante nesse retorno doloroso, em razão do seu alcance clínico. Essa neo-dor, motivo freqüente de consultas médicas, parece muitas vezes ao clínico um sofrimento físico sem causa orgânica. Vamos imaginar um médico diante de um paciente que se queixa de uma algia tendinosa, muscular ou visceral, inexplicada. Talvez ele se contente em atribuir essa algia a uma vaga origem psicológica e em diagnosticar uma dor "psicogênica". Prudente, ele prescreverá provavelmente um medicamento ansiolítico, ou até um placebo. Mas estamos convencidos de que a sua atitude clínica seria outra se ele admitisse — como propomos nestas páginas — que o corpo é uma tela sobre a qual se projetam lembranças, e que o atual sofrimento somático do paciente é a ressurgência viva de uma primeira dor esquecida. Ele convidaria então o paciente a lhe falar de antigos choques traumáticos, psíquicos ou corporais, dos quais ele pudesse se lembrar.

Mas dissemos que a antiga dor também podia reaparecer, transfigurada em um outro afeto tão penoso quanto um sentimento de culpa, transformada em lesão psicossomática, ou ainda transformada em ato impulsivo. Como explicar pois essas metamorfoses da dor?

Pode acontecer que o afluxo de energia dolorosa afete outros neurônios que não sejam aqueles sobre os quais se inscreve a imagem da agressão. Outros neurônios, por exemplo, que tinham marcas de acontecimentos penosos, vividos e depois esquecidos pelo sujeito. Vamos tomar o caso de uma pessoa ausente da cabeceira do seu pai moribundo, e que esqueceu aquilo que, então, ela considerou um erro. Suponhamos que esse erro ficou gravado em um neurônio da lembrança. Mais tarde, por ocasião de uma dor corporal violenta, o neurônio da lembrança do erro será trilhado, isto é, sensibilizado de tal modo que uma fraca estimulação posterior bastará para despertar no sujeito um sentimento de culpa inexplicável. O paciente se sentirá oprimido e culpado, sem compreender a razão. Com essa curta seqüência, vemos como a ínfima estimulação de um neurônio, já sensibilizado pelo trilhamento da dor, pode gerar um afeto opressivo, provocar uma lesão tissular ou ainda despertar uma compulsão irresistível. Tudo depende do conteúdo representativo da imagem mnêmica inscrita no neurônio reativado.

Nossa primeira dor

> Entre os homens, podes encontrar às vezes
> um fragmento de dor original talhada...
> Sim, ela vem de lá. Outrora, fomos ricos.
>
> Rainer Maria Rilke

"Nada na vida psíquica pode se perder, nada desaparece daquilo que se formou, tudo é conservado... e pode reaparecer."
Freud

Até aqui, estabelecemos bem que uma violenta dor física que se tornou inconsciente deve necessariamente repercutir na vida do sujeito, sob forma de incidentes penosos. Entretanto, uma questão se apresenta. Se admitimos que uma dor no corpo possa ser a volta de um sofrimento antigo que se tornou inconsciente, como não generalizar e pensar que todos os nossos sofrimentos físicos e psíquicos resultam de uma dor original? E se for assim, qual seria esse mal inaugural? Até onde se deve remontar no tempo para apreender a mais primitiva experiência dolorosa? Não sabemos. Trata-se de um sofrimento extremo experimentado outrora, uma primeira vez, na aurora da vida, antes mesmo de poder gritar? Então talvez fomos transtornados, e esse trauma perdura, ativo, em uma curiosa memória. Nós o situaríamos no momento do nascimento, ou, mais precocemente, quando dos frêmitos da vida fetal? Ou o imaginaríamos, como Freud, como a dor de uma arcaica separação ocorrida antes mesmo do estádio embrionário, em uma fase pré-individual e codificada na memória da espécie?[10]

"Os afetos são as reproduções de acontecimentos antigos, de importância vital, eventualmente pré-individuais."
Freud

Certamente, não sabemos de que sofrimento imemorial somos provenientes, mas podemos estar seguros de que ele ressurge por ocasião de todas as dores físicas e psíquicas, e transmite a cada uma a sua qualidade específica de afeto penoso. Essa dor primordial e intemporal volta incessantemente no presente, para comunicar a todas as outras a marca do desprazer intolerável que experimentamos quando estamos doentes ou aflitos.

Mas é também a experiência dolorosa passada que nos faz viver cada uma das nossas dores de modo único e individual. O vivido de uma dor é sempre o vivido da minha dor. Cada um sofre à sua maneira, qualquer que seja o motivo do seu sofrimento. Todas as vezes que uma dor nos aflige, venha ela do corpo ou do espírito, ela se mistura inextricavelmente à mais antiga dor que revive em nós. É justamente essa ressurgência viva do passado doloroso que faz minha a dor desse instante. A dor que sinto é realmente a minha dor, porque ela traz o selo do mais íntimo do meu passado.

Entretanto, se a repetição funda o afeto doloroso, não se poderia considerar todo afeto — agradável ou desagradável — como a reprodução de um afeto originário? Segundo Freud, na verdade, a emoção não é somente o que sentimos no instante, é também a repetição de um vivo sentimento experimentado outrora. Um afeto é sempre a volta atenuada de um primeiro abalo intenso. A mais singular emoção que eu possa viver hoje, agradável ou desagradável, redobra inevitavelmente uma emoção arcaica. Se, por exemplo, diante de uma cena insuportável, sinto a repulsa me invadir, terei a certeza de experimentar um sentimento inédito, como se eu estivesse certo de nunca ter vivido nada semelhante. Mais tarde, uma vez atenuada a violência do impacto, reconhecerei que já tinha sentido uma repugnância igual. Em resumo: não existe afeto novo, o afeto é sempre fruto de uma repetição.

Mas o que define intrinsecamente um afeto? Qual é a substância íntima e vibrante do sentimento que me move nesse instante? Não poderíamos responder. Talvez o em-si do experimentado seja essa sensação pura, simples e imediata, esse real desconhecido que nós chamamos energia. Mas essa resposta é insuficiente para definir a natureza de um afeto. Já que não sabemos o que ele é, procuremos então de onde ele vem: qual é a sua origem? A gênese do afeto não é nada mais do que um despertar, o despertar de um afeto passado. Vamos insistir. Todo afeto é a repetição de uma experiência emocional primordial. É certamente a partir dessa concepção eminentemente freudiana que po-

Todo afeto doloroso é a revivescência de uma antiga dor traumática.

Não existe afeto puro, pois ele é sempre reativado por uma fantasia, expresso por uma palavra e motivo de uma conduta.

deríamos identificar o afeto com o significante lacaniano. Um significante, enuncia Lacan, é sempre a repetição de um outro significante. Assim, afirmar que o afeto seria um significante equivale a formular: só existe afeto repetido.

A dor inconsciente não é uma sensação sem consciência, mas um processo estruturado como uma linguagem

Quer seja chamada de "traumática", porque resulta de uma agressão, ou de "inconsciente" pela sua aptidão a renascer, ou ainda de "primordial", pois é a mãe de todos os sofrimentos, falamos sempre da mesma dor.

Ao longo destas páginas, transformamos insensivelmente a brutal sensação de uma queimadura em uma inapreensível dor inconsciente. Perguntando como um traumatismo deposita os seus vestígios no inconsciente e como esses vestígios reanimados se exteriorizam, chegamos enfim a postular que a dor inconsciente é a memória de um antigo sofrimento traumático. Apesar do rigor dessa definição, quero dissipar um último mal-entendido sobre o conceito de dor inconsciente.

Quando nos interrogamos sobre a natureza de um sofrimento traumático tão profundo e tão antigo, vivaz a despeito de tudo, ficamos tentados, por um reflexo mental, a imaginá-lo como uma matéria afetiva palpitando nas entranhas do ser. É verdade que ao identificar o antigo traumatismo com a dor inconsciente fizemos crer que ela era uma emoção confinada em um lugar fechado do psiquismo. Entretanto, seria um erro descrevê-la assim. A dor inconsciente não pode reduzir-se ao sofrimento de um momento, mesmo traumático, nem mesmo conceber-se como um enclave de energia hostil. Ela recobre um conceito muito mais amplo, designando um processo ativo, que começa com um sofrimento somático muito intenso, provocado por uma agressão externa, e termina com um outro, despertado por uma ligeira excitação geralmente interna. Vamos dizer isso com outras palavras. Quando a agressão externa que provocou uma dor traumática deixa os seus vestígios no inconsciente, ela também instala ali um estado de hipersensibilidade que, à menor faísca, pode fazer renascer uma nova dor. Para sermos mais precisos, diremos que a dor inconsciente não designa uma coisa nem uma sensação sem consciência, mas um circuito que, reativado por uma ligeira estimulação, se descarrega em uma manifestação penosa. Finalmente, a dor inconsciente é uma aptidão, a aptidão do eu a rememorar, de forma diferente de uma lembrança consciente, um antigo traumatismo doloroso: a dor inconsciente é o nome que damos à memória inconsciente da dor.[11]

*

Até aqui, o que desejamos expressar? Que a origem psíquica da dor corporal é sempre a revivescência de uma dor primordial. Assim, na emoção dolorosa se conjugam a sensação desagradável de hoje e o despertar da primeira dor. É precisamente esse despertar que comunica à sensação desagradável do momento o seu caráter de afeto doloroso e, mais ainda, especificamente humano. Uma dor é humana porque é memória inconsciente. É realmente o inconsciente que humaniza o afeto doloroso, pois é ele que volta a dar vida à antiga dor de um traumatismo fundador.

Antes de prosseguir, podemos desde já tirar a seguinte conclusão: em todas as etapas da sua gênese, a dor corporal é marcada pela preeminência do fator psíquico. Com efeito, vimos como, sucessivamente, o psiquismo forma a representação do corpo lesado (eu-consciência), sofre o impacto da comoção (eu-transtornado), autopercebe o transtorno que ela acarreta (eu-órgão endoperceptor), registra e restitui esse impacto (eu-memória inconsciente).

Os desenvolvimentos seguintes confirmarão a ação poderosa do psiquismo na determinação do fato doloroso.

*

A Dor de reagir

Reconhecemos a dor como sendo provocada por uma lesão (queimadura no braço) e pela comoção interna que se seguiu. Depois, vimos a dor da comoção inscrever-se no inconsciente e tornar-se, ali, a fonte de sofrimentos posteriores.

Vamos abordar agora o terceiro tempo da formação da dor. Para isso, voltemos ao acidente da queimadura, no momento em que o eu, submergido pelo afluxo súbito de uma implacável energia, vê a sua homeostase rompida e o princípio de prazer neutralizado. Agora, não estamos mais diante de um eu transbordado e sofrendo a agressão, mas de um eu reagindo à agressão. Ora, por esse movimento defensivo, longe de suprimir a sua dor, ele vai sofrer de outra forma. Mais do que sofrer de uma dor de submissão ao mal, o eu sofre de uma dor de protesto contra o mal. A dor corporal não se deve mais apenas a uma lesão e ao transtorno que a acompanha, mas também ao imenso esforço do eu para defender-se contra esse transtorno. Assim, a dor física se torna a expressão de um esforço de defesa, mais do que a simples manifestação de uma agressão dos tecidos.

Mas qual é essa defesa que faz sofrer? A resposta a essa pergunta será decisiva para compreender o que é a dor psíquica. Quando o eu está em estado de choque, o que faz ele para se defender? Como reage? Faz um gesto que o fará sofrer mais: tenta desesperadamente curar-se sozinho, operando uma espécie de auto-curativo. Em resposta à agressão, o eu envia para o ferimento toda a energia de que dispõe, para fechar a brecha e deter o fluxo maciço de excitações. É esse movimento reativo de energia — chamado por Freud de "contrainvestimento" ou "contracarga" — que se opõe à irrupção brutal da excitação causada pela queimadura. Entretanto, esse auto-curativo não se aplica sobre os tecidos lesados da chaga, mas sobre a representação psíquica dessa chaga. Ora, o fato de que o contrainvestimento defensivo não se refere ao próprio ferimento, mas à representação do ferimento, revela a natureza incontestavelmente psíquica de toda dor corporal. Por quê? Porque a resposta a uma agressão física não é somente de ordem fisiológica, mas consiste também e principalmente em um deslocamento de energia no seio da rede das representações psíquicas constitutivas do eu. O corpo é ferido e o eu trata dele, ocupando-se da representação da sede da lesão (Fig. 3).

Cada vez que nosso corpo sofre uma violência, uma reação psíquica se desencadeia: o eu contrainveste a representação mental do local lesado. Uma conseqüência impressionante decorre disso: a dor provocada pela agressão não se atenua com esse curativo simbólico; pelo contrário, ela se intensifica. É esse fenômeno de uma defesa dolorosa e inadequada que queremos explicar agora.

Precisamente, em que consiste essa defesa, e por que ela é dolorosa? E ainda, qual é o papel da representação da região ferida?

Primeiro, é preciso lembrar que o eu funciona como um espelho psíquico que reflete, em um mosaico de imagens, uma parte do nosso corpo ou um aspecto dos seres ou das coisas aos quais estamos afetiva e permanentemente ligados. Postulamos então a seguinte hipótese: quando somos privados da integridade do nosso corpo ou do nosso objeto de apego, produz-se um excesso de investimento afetivo da *imagem do local lesado do corpo*, quando é a nossa integridade física que está em jogo; ou um excesso de investimento afetivo da *imagem do objeto perdido*, quando é a presença do outro que está em jogo. Esse excesso compensatório se traduz em dor. Na psicanálise, o superinvestimento da imagem psíquica de um ponto do nosso corpo se chama "superinvestimento narcísico", e o da imagem de um aspecto parcial do objeto que nos é caro (o ser amado) se chama "superinvestimento do objeto".

Mas quer se trate da dor corporal provocada pelo investimento excessivo da representação do local lesado, quer se trate da dor psíquica provocada pelo

> *"A dor corporal tem a sua explicação na concentração do investimento sobre o representante psíquico do local do corpo doloroso. É para esse ponto que se pode [...] transferir a sensação de dor no domínio psíquico."*
> Freud

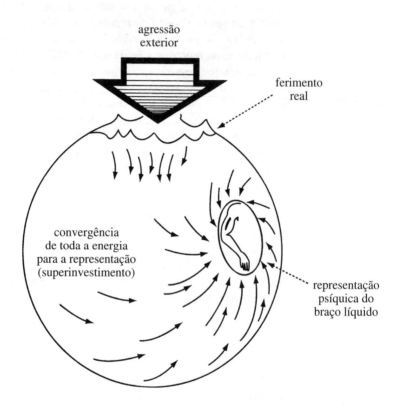

Figura 3

O eu pensa a representação do ferimento,
por não poder pensar o ferimento real.

investimento excessivo da representação do objeto amado e perdido, estamos em ambos os casos diante do mesmo fenômeno. A dor é gerada pela valorização excessivamente forte da representação em nós da coisa à qual estávamos ligados e da qual estamos agora privados; seja ela uma parte do nosso corpo ou o ser que amamos.

Assim, a dor corporal é a expressão sensível de uma superestimação reativa da representação da parte ferida do corpo, e a dor psíquica, a expressão sensível de uma superestimação igualmente reativa da representação do objeto amado e perdido.

Dito isso, vamos indagar de novo como o eu tenta superar a comoção desencadeada pelo ferimento. Transtornado, ele reage por um reflexo de sobrevivência, agarrando-se desesperadamente à representação psíquica da parte ferida. Como se ele quisesse tratar do seu ferimento, não protegendo os tecidos lesados, mas concentrando todas as suas forças disponíveis na imagem mental da zona lesada. *Ele trata do símbolo do seu ferimento, por não poder tratar do próprio ferimento.* Assim, para resistir à comoção, o eu se lança desesperadamente sobre o símbolo do local atingido e se agarra a ele, afetivamente, com todo o seu ser. Ora, é justamente aqui que aparece a dor; ela resulta do esforço desesperado do eu para se livrar da comoção, concentrando-se obstinadamente sobre um símbolo. Sofremos porque nos perturbamos diante do perigo. O que dói é pois uma crispação inútil sobre a imagem do corpo ferido, um esforço de defesa inadequado para tratar da comoção, uma tentativa local, isolada, e por isso mesmo destinada ao fracasso.

Evidentemente, subsiste a questão de saber se o eu teria podido reagir de outra maneira, mais inteligente e menos vigorosa. Talvez uma ação global teria sido mais eficaz e menos penosa do que um gesto isolado? Mas o eu não pode fazer de outra forma. Sua contração cega em um ponto é um reflexo de sobrevivência, e a única resposta possível para não naufragar diante da comoção. Vamos enfatizar uma vez mais: é nesse

A representação é a carne do espírito, e o seu superinvestimento é a sensação dolorosa.

derradeiro esforço de reação do eu que se origina a dor.

Mas uma nova interrogação surge agora: por que o apego apaixonado a um símbolo — quero dizer um excesso de carga energética pesando sobre uma representação — se traduz em dor? A resposta é uma única palavra: "exclusão". Sim, a representação mental do órgão lesado é tão carregada de energia que, tornando-se mais pesada, ela se isola e se exclui do conjunto das outras representações estruturantes do eu. A coesão psíquica desaparece então e o eu tem agora que funcionar com uma estrutura desestabilizada pelo isolamento de uma representação no seio do sistema. Certamente, o eu conseguiu conter a comoção, mas à custa de gerar um monstro de afeto que, agora, o perturba. É pois realmente a polarização de toda a energia psíquica sobre uma única representação, que se tornou excêntrica, que faz nascer a dor. O corolário das nossas considerações é simples. Vamos enunciá-lo assim: não há dor corporal sem representação. Longe de suavizar a dor, eu a intensifico, saturando de energia a representação do meu ferimento.

"A ruptura de associações é sempre uma dor."
Freud

Nesta última etapa, a dor corporal resulta do apego reativo e apaixonado do eu ao símbolo do lugar lesado do corpo. Vamos dizer com mais rigor: o referido símbolo, hipertrofiado de afeto, se cristaliza como um corpo estranho e pesa sobre a trama do eu até rasgá-la. É essa rasgadura das fibras íntimas que provoca a dor.

Resumo das causas psíquicas da dor corporal

Agora, se pergunto por que tenho dor no braço quando me queimo, posso responder usando o vocabulário psicanalítico: pondo-se de lado o conjunto dos mecanismos neurobioquímicos geradores de dor, existe principalmente um encadeamento de causas de ordem psíquica, a saber: a impressão de que a minha dor emana da queimadura; a autopercepção do enlouquecimento das minhas tensões pulsionais; a revivescência de uma dor imemorial; a mobilização de todas as minhas forças para a representação mental do braço dolorido; e enfim o isolamento dessa representação.

*

A representação da parte lesada e dolorida do corpo

Sublinhamos que esse encadeamento de causas que induz a dor corporal evoca aquele que preside à formação da dor psíquica. Veremos que os esquemas lógicos que explicam essas duas formas de dor são quase idênticos. Entretanto, uma de suas diferenças reside no conteúdo imaginário da representação hipertrofiada.[12] De fato, ao passo que, na dor corporal, a representação remete a um corpo ferido, na dor psíquica ela remete a um objeto amado e perdido (pessoa, coisa ou valor). Falamos longamente na dor psíquica ou dor de amar, mas neste momento devemos definir mais claramente o estatuto singular da representação da parte lesada do corpo. Assim, compreenderemos com mais facilidade a natureza da representação do objeto amado e perdido, elemento maior na gênese da dor de amar.

Vamos perguntar pois como se forma a referida representação do corpo e qual é o seu conteúdo imaginário, mais particularmente visual. Vamos enfatizar logo que a representação do local doloroso não existia antes da lesão, mas ela se forma nesse mesmo instante. Quero dizer que essa representação não está lá desde sempre, ela nasce com a percepção sensorial do ferimento e a impressão de que a dor se localiza ali.

Entretanto, a imagem do corpo lesado não é apenas contemporânea da lesão; ela provém também de múltiplos vestígios deixados no inconsciente pelas dores antigas e os desejos dos outros. Ela também é modelada pelo vivido atual do meu corpo movendo-se no espaço. Isso significa que essa imagem do local doloroso, superinvestida pelo eu para defender-se da comoção, se funda sobre uma multidão de percepções não conscientes, que fixaram acontecimentos passados, registraram os impactos deixados pelo desejo dos outros, e captam hoje as vibrações sensoriais do meu corpo vivo. Mas, se é verdade que a representação nasce graças a todos esses fatores, também é verdade que a sua passagem pela consciência é efêmera: ela dura enquanto dura o acesso doloroso.

Mas qual é o conteúdo imaginário próprio à representação do local lesado? Até aqui, chamamos essa representação de "imagem", "símbolo" ou "representação psíquica da zona ferida e dolorida". Essas fórmulas são enganosas, pois dão a entender que o conteúdo imaginário é a cópia fiel da parte ferida do corpo. Ora, como sabemos, ele nunca é uma réplica exata. A imagem do local doloroso — seja ou não consciente — nunca está de acordo com a anatomia real, mas corresponde a uma anatomia fantasística. Nenhuma imagem de uma região corporal oferece o estrito reflexo do corpo tal como ele é. Minhas percepções são sempre interpretações deformantes da realidade, vividos fantasiados do meu corpo.

Assim, o conteúdo imaginário da representação se integra em uma fantasia já construída por nossos desejos inconscientes. O local do corpo atingido pela lesão se apresenta sempre como inserido na cena fantasiada de um sonho e associado à ação de um personagem fictício.

Em suma, a representação da zona dolorida, proveniente das minhas impressões passadas e atuais, modelada pelo impacto do corpo dos outros, nascida com a lesão e destinada a concentrar em si o fluxo descontrolado de energia, é a imagem imprecisa de um fragmento do corpo no centro de uma cena fantasiada. Embora possa penetrar no campo da consciência, essa imagem permanece essencialmente incons-

A representação da zona lesada é essencialmente inconsciente, mas por ocasião do acesso doloroso, ela aflora à consciência.

A capacidade de viver a dor e representar conscientemente o local do ferimento foi adquirida a partir das primeiras separações traumáticas do nascimento e do desmame.

ciente. Quando lhe acontece ser consciente, seu conteúdo imaginário atribui freqüentemente uma configuração espacial resultante de sensações tanto visuais quanto táteis, cinestésicas ou cenestésicas. Assim, quando o sujeito sofredor visualiza a região dolorida interna ou externa do seu corpo, ele a representa no espaço. Tentando descrever a sua dor, emprega fórmulas como "sinto um peso", ou "uma pontada", "um bolo", "um nó", ou "agulhadas". São expressões que mostram como a imagem consciente do corpo dolorido é a metáfora espacial e imprecisa da sensação dolorosa.

*

O que devemos guardar sobre a dor corporal? Essencialmente, que ela é o afeto experimentado pelo eu quando, ferido, comocionado ou rememorando uma dor antiga, ele faz o esforço de superinvestir a imagem da parte dolorida. Esse gesto defensivo suaviza a comoção mas acentua a dor. Vamos ser mais claros: o estado de comoção dói, e a defesa contra a comoção dói ainda mais. À dor própria do transtorno se acrescenta outra, a que exprime o esforço desesperado do eu para salvar a sua integridade.

Perguntas e respostas
sobre a dor corporal[*]

☐ *O sr. apresentou a sua concepção de dor corporal a partir da teoria freudiana. Mas como é possível basear-se sobre uma teoria centenária da dor, quando aparecem atualmente tantos novos avanços no campo das neurociências?*

Psicanálise e neurociências

Antes de mais nada, o modelo freudiano de dor corporal, como vimos, tem um valor heurístico indiscutível, pois ele nos esclarece para construir uma teoria rigorosa da dor mental. Mas, além desse esclarecimento, ele me possibilitou, principalmente, delimitar bem o fator psíquico que age na formação de toda dor corporal, qualquer que ela seja. Lembrem-se da idéia freudiana básica, que formalizamos assim: só existe dor quando ela tem o suporte do superinvestimento narcísico da representação do local lesado do corpo. Essa hipótese me parece tão rica de perspectivas, que eu não hesitaria em apresentá-la aos neurofísicos que

---

[*] Estas perguntas foram redigidas a partir de intervenções de ouvintes que assistiram às diversas exposições orais que fiz sobre o tema da dor.

procurassem desvelar os mecanismos íntimos da dor. Como vêem, não estamos mais na fase de esperar que a ciência atual venha confirmar as antigas elaborações psicanalíticas; muito pelo contrário, convidamos a ciência de amanhã a prolongar a tese do superinvestimento da imagem mental da região dolorida. Estou convencido de que essa tese freudiana do superinvestimento se tornará um conceito-chave nas futuras pesquisas da neurofísica da dor.

Dito isso, a sua pergunta me dá a ocasião de tentar estabelecer um quadro comparativo entre as propostas freudianas — especialmente as formuladas no "Projeto" — e as hipóteses neurocientíficas. Comentarei depois a teoria da dor proposta recentemente por um eminente representante das neurociências, Antonio R. Damasio.[13]

Vou levantar, pois, os pontos de encontro mais notáveis entre psicanálise e neurociências. Penso, especialmente, na definição de *memória*, que identificamos parcialmente com o inconsciente e que os neurologistas explicam por uma estocagem de imagens nos neurônios. Outra questão é a do *ritmo* das pulsões em relação ao ritmo de propagação do influxo nervoso. Por fim, tratarei da relação entre a *estrutura em rede* do eu e a ordem espacial do sistema neuronal. Como vêem, temos muito trabalho à nossa frente.

A memória da dor.

Vamos abordar logo o problema da memória. O que nos dizem os neurocientistas? Formulam hipóteses impressionantemente próximas dos primeiros desenvolvimentos de Freud sobre a memória veiculada pelas células chamadas "neurônios da lembrança".[14] Atualmente, alguns pesquisadores, entre os quais Jean-Pierre Changeux, supõem a existência de imagens mentais estocadas nos neurônios, chamadas "objetos mentais".[15] Outros, como Damasio, consideram que as imagens mentais, ao invés de serem estocadas nas células, se elaboram a partir de uma proto-imagem que eles chamam de "representação potencial". O aparecimento de uma lembrança penosa, por exemplo, resultaria da ativação da dita representação potencial, não sendo esta última a própria lembrança, mas o meio de formar a lembrança. Na verdade, a expressão "representação potencial" não designa um elemento intraneuronal, mas antes uma conexão muito particular entre diferentes neurônios, à espera de uma reativação.

Ora, quer os neurônios guardem uma imagem estocada, quer eles a elaborem a partir de uma representação em potência, os senhores não acham que essas hipóteses científicas são impressionantemente próximas das primeiras elaborações freudianas? Lembrem-se da nossa observação sobre os neurônios da lembrança, capazes de conservar a imagem do objeto agressor na origem de uma primeira dor. Dissemos que a reativação dos neurônios da lembrança por uma ligeira excitação endógena provocava seja o aparecimento de uma dor semelhante à dor inicial, seja diversas manifestações nas esferas do pensamento ou da ação. Manifestações que o sujeito viverá sem compreender-lhes a razão.

Penso ainda em outro paralelo a ser estabelecido entre o Freud de ontem e os pesquisadores de hoje, precisamente quanto a esses neurônios da lembrança e à transmissão bioquímica do influxo nervoso. De fato, sabemos atualmente que a sensação dolorosa resulta, entre outros fatores, da mediação de uma proteína chamada *substância P* (*Pain*, que significa "dor"). A mensagem nociceptiva é transmitida quando o axônio de um neurônio secreta o neurotransmissor *P*, que entra em contato com os receptores localizados na dendrite de um outro neurônio. Ora, ficamos surpresos ao ver no "Projeto" a hipótese que defende a existência de um contato químico semelhante entre os "neurônios da lembrança" e uma outra categoria de neurônios, ditos "neurônios secretores". Segundo Freud, os últimos, tendo sido eles próprios estimulados por fracas excitações internas, liberariam uma substância geradora de dor. Substância que, uma vez destilada, excitaria os neurônios da lembrança, reanimaria a imagem do objeto hostil e despertaria a dor antiga.

Podemos imaginar assim que uma fraca excitação endógena, seguida de uma substância secretada, seja capaz de reanimar o neurônio da lembrança e fazer aparecer uma nova dor. Acho essas idéias de Freud absolutamente surpreendentes, considerando-se a época em que ele as propôs (1895), e espantosamente atuais, considerando-se as teorias neurocientíficas modernas.

*

☐ *O sr. propõe a idéia de uma memória inconsciente, baseando-se no conceito de "neurônios da lembrança". Poderia precisar melhor a natureza desses neurônios e sua relação com o inconsciente?*

A memória inconsciente e as neurociências

Primeiramente, lembro que, no "Projeto", Freud concebia o eu como uma rede neuronal formada de dois componentes principais: os neurônios da lembrança e os neurônios de percepção. Os primeiros, também chamados "neurônios retentores" ou "células da lembrança", são os neurônios da memória. Já falamos deles. Têm por função gravar a excitação que os atinge; arquivar a "foto" deixada pelo agente que provocou a excitação (foto do objeto hostil na dor, foto do objeto de amor no prazer); e enfim continuam suficientemente despertos para reagir mais tarde a uma segunda excitação, mesmo que mínima. Os outros neurônios, ditos "células de percepção" — dos quais falaremos depois — também têm por função tratar a excitação, mas, ao contrário dos neurônios da lembrança, deixam-se atravessar pelo fluxo de excitação, sem guardar nenhum vestígio deste.

Ora, os srs. perguntam justamente qual é a relação entre os neurônios da lembrança e o inconsciente. Ou, o que dá no mesmo, como justificar a minha proposta

O inconsciente é uma memória.

de considerar os neurônios da lembrança como os antepassados conceituais das representações inconscientes. Respondo simplesmente afirmando que esses neurônios, assim como as representações, possuem a singular faculdade de conservar o passado, sem lembrá-lo necessariamente à consciência. Forma-se uma lembrança do passado que não é consciente. O que é o inconsciente, senão uma memória cujas lembranças não se atualizam na consciência, mas nos nossos atos, nossos sonhos ou nosso corpo, e sem que saibamos?

Mas vamos retomar o nosso quadro comparativo entre psicanálise e neurobiologia, abordando agora o segundo ponto de encontro. Ele se refere às variações temporais da propagação dos sinais nervosos, isto é, o ritmo da transmissão do influxo nervoso. Atualmente, as últimas pesquisas neurocientíficas sobre a natureza da consciência se orientam precisamente para o problema do ritmo e das oscilações do fluxo nervoso intra e interneuronal. Um cientista como R. Llinàs define a consciência como uma relação harmoniosa entre o ritmo dos neurônios oscilantes do tálamo e o dos neurônios do córtex cerebral.

Oscilações dos sinais nervosos e ritmo das pulsões.

Justamente, essa preocupação dos neurofísicos com as oscilações e os ritmos do influxo nervoso nos reconduz a Freud e ao interesse que ele tinha pelo ritmo das variações pulsionais, assim como ao nosso próprio modo de pensar a dor como a expressão consciente da ruptura da cadência pulsional. É verdade que Freud manifesta apenas timidamente esse interesse pelo ritmo e só em duas ocasiões em sua obra.[16] Mas preferimos ir mais à frente nesse caminho, e definir todo afeto como a expressão na consciência das variações ritmadas das pulsões. Assim, os sentimentos de prazer e de desprazer não seriam a expressão do nível de intensidade das pulsões (prazer = baixa intensidade; desprazer = alta intensidade), mas antes a expressão das oscilações de tensão, da alternância dos picos e das quedas da tensão ao longo de uma duração definida. Desse ponto de vista, diremos que a dor é muito diferente do prazer e do desprazer. Por

A dor é um afeto desagradável, mas não é o desprazer.

quê? Porque ela exprime não um ritmo pulsional particular, mas a *ruptura violenta desse ritmo*. Ruptura da cadência pulsional que, vamos lembrar, corresponde à perturbação das tensões, pondo em xeque o princípio de prazer/desprazer, e finalmente à cessação brusca da homeostase do sistema econômico do eu.

Ora, essa hipótese, que define os afetos como a expressão na superfície das oscilações pulsionais, necessita, para ser completa, da intervenção de uma instância intermediária. Uma instância que, por um lado, detecta no interior o ritmo das pulsões, e por outro lado, o repercute na superfície da consciência. Qual é esse intermediário? É o próprio eu, quando exerce a sua dupla função de detector endopsíquico e de tradutor consciente.

Vemos bem que o conceito psicanalítico de afeto em geral e de dor em particular não pode ser compreendido sem a noção de percepção endopsíquica. Percepção que, só ela, permite explicar essa função de "radar" do eu, quando grava a cadência pulsional e a traduz na consciência sob forma de afetos agradáveis de prazer, desagradáveis de desprazer, ou até dolorosos. Freud já pressentira essa noção de percepção endopsíquica do eu quando, ainda no "Projeto", estudando os neurônios de percepção (grupo distinto dos neurônios da lembrança), ele diferenciava dois tipos particulares. Com efeito, existem duas espécies de neurônios de percepção: os que percebem as excitações vindas da periferia do corpo, e os que captam as oscilações de tensão interna e os transpõem na consciência como afetos. Uns percebem somente as estimulações externas, os outros detectam os efeitos internos dessas estimulações e as traduzem em afetos conscientes.

Precisamente, é este último grupo detector e tradutor que nos interessa. Os neurônios que detectam as amplitudes e as cadências das tensões internas fazem o papel de um órgão sensorial de dupla face: por um lado, captam os ritmos tensionais, e por outro transformam esses ritmos em afetos diversos, entre os quais

A topologia neuronal e a estrutura ramificada do eu.

a dor. Assim, *a dor é um afeto sentido conscientemente, que exprime variações intoleráveis e bruscas rupturas do ritmo das pulsões.*

Vamos continuar o nosso intercâmbio com as neurociências. Abordamos agora o terceiro ponto de encontro. Se me afastei um tanto dele, foi para aprofundar melhor esse tema que me é caro, o ritmo na sua relação com algumas das minhas proposições maiores sobre a dor. Nosso terceiro ponto de encontro se refere à incidência da topologia da rede neuronal sobre a transmissão dos sinais nervosos. Os neurocientistas têm hoje um interesse crescente pelo estudo da disposição espacial dos neurônios. Ora, não posso deixar de comparar a topologia da rede neuronal com a topologia do eu estabelecida por Freud em 1895.[17] Uma vez mais, fiquei surpreso ao constatar como os primeiros textos freudianos contêm os sinais precursores dos desenvolvimentos científicos modernos.

Naquela época, Freud imaginava o eu como uma rede de neurônios organizada de tal modo que o fluxo de excitações que a percorriam podia, segundo as circunstâncias, encontrar-se inibido. Na verdade, Freud não hesitava em afirmar que "se um eu existe, ele deve entravar os processos psíquicos primários", isto é, entravar a circulação de energia livre. A função do eu é a de um desacelerador do movimento energético, e isso graças a uma ordem espacial muito precisa, a de uma grade. Uma grade disposta de tal maneira que um neurônio demasiado investido de energia tenha a possibilidade de fazer derivar uma parte da sua carga para neurônios laterais. O eu organizado em rede modera a intensidade da tensão, porque a sua armadura obriga a carga energética a se fragmentar e a se desviar para neurônios vizinhos. O sistema dos neurônios do eu se torna assim, pela singularidade da sua trama, um verdadeiro órgão inibidor. Como não reconhecer nessa concepção de um eu inibidor o germe do conceito de recalcamento? Como se a primeira figura do recalcamento residisse na estrutura ramificada do eu.

Assim sendo, não esqueçamos que a inibição tem um papel determinante, de preservar o eu de um transbordamento de excitação, que ameaçaria a sua integridade. Ora, a dor, considerada como o mais imperioso de todos os processos psíquicos, é um estado particular de grande excitação, que nenhuma inibição poderia refrear. Processo certamente transtornador e incontrolável, mas que mesmo assim respeita a integridade do sistema. Sem dúvida, o afeto doloroso rompe todas as barreiras internas, mas sem destruir o eu. Encontramos mais uma vez o caráter limite da dor que ignora a inibição, sem com isso prejudicar a capacidade de reação do eu. A dor prejudica mas não destrói.

Para terminar, desejo mencionar a teoria da dor proposta por Antonio R. Damasio. Além de todas as nossas diferenças, encontrei no seu percurso científico alguns pontos de analogia com o meu próprio pensamento inspirado pela psicanálise. Assim, Damasio distingue dois componentes na percepção da dor: por um lado, uma percepção somato-sensorial que nasce da pele, de uma mucosa ou da parte do órgão onde se situa uma lesão — é a percepção de uma mudança *local* do corpo — e por outro lado a percepção de uma perturbação *global* do corpo, uma mudança geral do corpo. É essa última percepção que corresponderia à emoção dolorosa.[18] Segundo esse autor, o cérebro formaria, a partir dessas percepções, duas imagens da dor, que se superporiam no momento do sofrimento: uma imagem somato-sensorial (imagem de um estado local do corpo), e uma imagem emotiva (imagem do estado geral e perturbado do corpo). O eu que, segundo Damasio, é um conceito inevitável no pensamento científico, desempenharia o papel de um terceiro, espécie de "meta-eu", que teria por função realizar as sínteses e os ajustes entre essas duas imagens. A justaposição destas dá lugar à emoção dolorosa.

Surpreende-me encontrar, formulados em termos diferentes, pontos similares aos nossos dois primeiros tempos do processo de formação da dor. De fato, como

Uma teoria neurocientífica da dor.

podemos nos lembrar, distinguimos três momentos na gênese de toda dor: o tempo da lesão, o da comoção e enfim o da reação. No primeiro tempo, a dor resulta da percepção pelo eu da excitação periférica inerente à lesão; no segundo, ela resulta da percepção, sempre pelo eu, da perturbação das tensões pulsionais. Ora, a proposição de Damasio de uma percepção somato-sensorial e da imagem sensorial que deriva desta, evoca a nossa proposição de uma percepção da lesão e da representação do corpo lesado que resulta desta. Quanto à outra percepção descrita por Damasio, da qual provém a qualidade emotiva, e que ele caracteriza como uma percepção de uma perturbação global do corpo, ela lembra o nosso segundo tempo da formação da dor, a saber a autopercepção pelo eu do estado de comoção interna.

Enquanto esse autor fala de percepção do estado perturbado do corpo, nós avançamos a idéia de uma apercepção interna e imediata das variações bruscas das tensões pulsionais, ou mais exatamente da ruptura do ritmo das pulsões. Como se, para explicar a emoção dolorosa, Damasio se baseasse na percepção global do corpo, sem ousar imaginar que não é o corpo que é percebido, mas o psiquismo. A diferença entre nós poderia condensar-se em uma réplica: "o cérebro percebe o estado perturbado do corpo, e daí surge a emoção dolorosa", diria Damasio; a quem eu responderia: "o eu transtornado autopercebe o transtorno pulsional, e daí emana a dor".

*

☐ *O sr. poderia voltar à dor psicogênica? Como compreender que uma dor se localize neste e não naquele lugar do corpo?*

A Dor psicogênica

Inicialmente, vamos lembrar que a dor psicogênica não é uma dor psíquica, mas um sofrimento corporal, mínimo ou maior, agudo ou crônico, cuja origem é psíquica (*psicogênico* significa "de origem psíquica"). É uma dor somática sentida pelo sujeito, sem razões orgânicas que a justifiquem, e à qual se atribui, por falta de explicação melhor, uma causa psicológica, em geral desconhecida. Trata-se de dores físicas persistentes, na maioria erráticas e enganosas. Quando elas se fixam em um local determinado do corpo, sua localização permanece, na verdade, enigmática. Geralmente, o paciente descreve a sua dor com complacência, em uma linguagem rica em detalhes, ou às vezes de maneira confusa e evasiva. Mas o mais importante é a relação particular que o paciente mantém com a sua dor. Fala do seu sofrimento como se falasse de um outro, caprichoso e exigente, que habitasse o seu corpo.

Dito isso, antes de responder à pergunta sobre o local escolhido pela dor para aparecer, devo fazer previamente esta outra interrogação: "Quais são as origens psíquicas desse sofrimento psicogênico sentido no corpo, sem causa orgânica detectável?" Proponho três origens possíveis para a dor psicogênica.

A primeira das causas psíquicas capazes de provocar uma algia psicogênica pressupõe a idéia de *um corpo dotado de memória*. Lembrem-se das nossas afirmações do início. Uma dor antiga, intensa e sentida em um ponto do corpo, deixou tais vestígios no inconsciente que, mais tarde, uma excitação interna ou externa — uma situação de estresse, por exemplo — poderá suscitar uma dor diminuída no mesmo local ou em uma outra região corporal. É essa dor segunda, lembrança somática de uma dor passada, que se apresentará aos olhos do clínico como um sofrimento físico muito real mas injustificado.

A segunda hipótese de uma origem psíquica se baseia sobre a teoria freudiana, que considera a *conversão histérica* como o salto do psíquico para o somático. Uma pulsão recalcada salta do campo do inconsciente para o do corpo e se transforma em dor somática. Um abalo passado, já esquecido, mas que

> *"Mas enfim, o que é que se transforma em dores físicas? Respondemos: algo que poderia e deveria dar nascimento a uma dor moral."*
> Freud

continuou ativo no inconsciente como pulsão, se converte, por exemplo, em uma algia muscular inexplicada. Ora, que parte do corpo será escolhida pela pulsão para se manifestar como sensação dolorosa? Ou, o que dá no mesmo: em que zona corporal a dor será sentida? Ela vai se localizar justamente na parte do corpo atingida outrora, quando de um abalo perturbador e intenso, esse abalo que foi a emergência momentânea de uma pulsão inconsciente. A zona corporal marcada por esse abalo fica então impressa no inconsciente, como uma imagem.

Vamos tomar o exemplo de uma jovem histérica, que sofre de contraturas na coxa direita. Durante o tratamento, ficamos sabendo que, pouco antes do aparecimento dessas algias, quando cuidava do pai doente, a paciente, sentada à sua cabeceira, tomara a cabeça do pai e a depositara ternamente sobre a sua coxa direita. Nesse instante, ela sentira um estranho embaraço, mistura de vergonha e prazer incestuoso. Essa curta seqüência nos mostra bem o surgimento imperioso de uma pulsão incestuosa reprimida pelo pudor (recalcamento) e vivida como uma perturbação embaraçosa. Semelhante abalo ficará então associado a esse local preciso do corpo, a coxa direita, lugar de desejo culposo hoje, lugar de dores físicas amanhã.

O que ocorreu? A pulsão incestuosa primeiro aflorou à consciência como sentimento de embaraço. Depois, ela voltou para o inconsciente, levando a imagem da coxa, ou mais exatamente a imagem tátil do contato sensual entre a pele da coxa e os cabelos do pai. Mais tarde, a pulsão reapareceu sob a forma de contraturas dolorosas localizadas no mesmo lugar onde a cabeça do pai se apoiara. A sensação erógena e culpada de um dia se tornou, posteriormente, sensação dolorosa sem razão aparente.

Ao passo que essa segunda origem da dor psicogênica — a conversão histérica — se explica pela transformação de uma pulsão em dor imotivada, a terceira causa psíquica se refere a *um outro modo de relações entre pulsão e corpo*.

Vamos retomar o exemplo da jovem, modificando-o para ilustrar a nossa terceira explicação. Imaginemos que no momento em que o pai pousa a cabeça sobre a sua perna e ela se sente perturbada, surja fortuitamente uma cãibra no ombro. A perturbação, forma adotada pela pulsão incestuosa para manifestar-se, coincide pois com o aparecimento de uma algia muscular no nível da espádua. Assim, podemos dizer que a pulsão encontra por acaso uma dor banal acrescentada. A partir de então, essa dor muscular acidental marca a pulsão, e os seus destinos se ligam para sempre. Pois bem, no nosso exemplo, a pulsão marcada pela dor do ombro se transformará depois em uma sensação dolorosa situada justamente na espádua, e sem motivo que a explique. Isso significa que uma pulsão recalcada pode se converter em corpo sofredor, porque ela foi mordida outrora, "marcada" por uma antiga dor orgânica, por insignificante que seja. Daremos a esse terceiro mecanismo o nome de *marca somática sobre a pulsão*. Em outros termos, uma dor banal, aparecida em certo lugar do corpo e associada ao surgimento de uma pulsão, abriu caminho para essa pulsão, para que amanhã ela ressurja sob a forma de uma sensação dolorosa inexplicada, no mesmo lugar do corpo.

Se compararmos agora a origem histérica da dor psicogênica com essa outra origem que acabamos de descobrir, proporemos a seguinte observação: enquanto que a característica própria da conversão histérica está contida na fórmula freudiana do "salto enigmático do psíquico para o somático", da pulsão para o corpo, a terceira causa da dor psicogênica está contida em uma fórmula mais ampla: o salto do somático para o psíquico, e depois do psíquico para o somático. O salto de uma dor orgânica para a pulsão, e da pulsão para uma "dor psicogênica".[19]

Para terminar, uma pequena síntese. A dor dita psicogênica pode pois definir-se de três maneiras diferentes. Primeiro, como a revivescência dolorosa de uma antiga dor orgânica esquecida: a dor psicogênica é aqui a *lembrança* no corpo de uma antiga dor. Depois, pode definir-se como a expressão dolorosa de uma pulsão recalcada que marcou outrora um local do corpo: é o caso da *conversão*. E enfim, pode ocorrer que a dor psicogênica manifeste uma pulsão que foi, ela própria, marcada por uma dor orgânica passada: é o caso da *marca somática*. Penso que respondi à pergunta sobre a escolha do local de aparecimento de uma dor psicogênica. Ela pode aparecer onde apareceu uma antiga dor, da qual ela é a lembrança. Ou então aparecer no lugar marcado outrora por uma pulsão, ou ainda no local em que a pulsão fora marcada por uma velha dor.

*

□ *O sr. definiu a dor inconsciente como um encadeamento de acontecimentos que se inicia com um trauma doloroso e resulta no despertar desse trauma. Mas como se pode falar de uma dor que seria ao mesmo tempo sentida e inconsciente?*

A Dor inconsciente

Prefiro responder propondo um esquema que separa nitidamente o passado e o presente, isto é, a dor traumática passada e o seu reaparecimento em uma dor presente. Espero mostrar assim que a dor inconsciente é diferente de uma sensação não consciente. Ela não é um objeto em si, mas uma relação entre dois objetos, ou mais exatamente, *uma relação entre dois acontecimentos*: um passado, outro atual. Comecemos pelo passado.

No passado, produziu-se um incidente real, durante o qual um objeto agressor provocou uma dor (*D*1) muito intensa, até fulminante (que nós chamamos dor da comoção).

Forma-se então uma representação psíquica inconsciente, que conserva os vestígios do objeto agressor sob a forma de uma "foto", de uma imagem mnêmica do referido objeto. A representação assim formada comporta duas partes: um continente imaginário, que é a imagem lembrança do objeto agressor, mais exatamente de um detalhe desse objeto, sendo a outra parte a carga de energia que torna viva a imagem, e que chamamos de investimento. A união da imagem e do seu investimento constitui a representação psíquica propriamente dita. Além dessa precisão, tomei a liberdade de empregar indistintamente as palavras "imagem" e "representação".

A dor ($D1$) foi tão transtornadora que o rastro da sua passagem fica extremamente sensível a novas excitações ou a novos investimentos. A partir de então, a menor impressão poderá fazê-lo reagir. Em resumo, a passagem fulminante da dor da comoção deixou pois dois rastros: a foto do agressor e a excitabilidade dessa foto a todo novo investimento, embora mínimo.

Vamos agora ao presente. Assim sensibilizada, a representação recebe então um investimento circunstancial, isto é, uma estimulação pontual e ocasional. Logo que a imagem é reavivada, uma descarga reflexa se produz sob forma de uma nova dor ($D2$). O sujeito que sofre hoje experimenta pois uma dor ($D2$), sem com isso estabelecer a menor ligação com o incidente inicial doloroso.

Pode acontecer também que a reativação da imagem mnêmica do objeto agressor dê lugar não a uma segunda dor, mas a outras manifestações na vida cotidiana do sujeito: sonhos, comportamentos inexplicados ou estados afetivos particulares. Mas o que faz com que a reativação da imagem mnêmica se manifeste por uma dor e não por uma outra perturbação? Isso depende do tipo de estimulação que veio despertar a imagem, ou então de outros elementos secundários que lhe foram associados.

Mas vamos guardar principalmente isto. O sujeito que sente atualmente uma dor, ou que sofre perturbações na sua vida cotidiana, não tem nenhuma idéia do esquema temporal que acabamos de estabelecer. Esquema que começa com uma dor inicial esquecida, prossegue com a reativação do seu rastro inconsciente e resulta na experiência vivida de uma dor ou de um distúrbio da vida cotidiana.

Por conseguinte, chamamos dor inconsciente ao conjunto do processo ignorado pelo sujeito que começou com uma dor traumática e culminou com o vivido atual de uma experiência penosa. *A dor inconsciente é finalmente o nome que damos a um circuito, impresso por uma dor sentida, reativado por uma excitação ocasional e manifestado enfim por uma outra dor sentida.* É o conjunto desse circuito reativável, subtraído à nossa consciência, que se chama dor inconsciente. Assim, vemos que em si mesma a dor inconsciente não é "uma sensação sem consciência" pura, simples e desconhecida, como diria Maine de Biran, mas um encadeamento desconhecido de acontecimentos, que resulta na dor que eu vivo hoje.[20]

Certamente, a dor inconsciente só existe na atualidade concreta da minha dor presente. Se quisermos ser ainda mais exatos, devemos modificar a nossa frase e afirmar: a dor inconsciente só existe depois do aparecimento da dor de hoje. Por que acrescentar "depois"? Porque eu só poderia deduzir a existência da dor inconsciente retroativamente, a partir dos primeiros balbucios da minha dor atual. Mas essa dor sem razão detectável me interroga como um enigma. É justamente a sua natureza obscura que me incita a voltar ao passado e restabelecer enfim o encadeamento de acontecimentos que a determinou. O que é essa volta ao passado, senão o gesto de quem escuta o enigma da dor? Eis o que queremos dizer. A dor inconsciente só existe no só-depois da escuta.

*

□ *Penso no modelo da conversão histérica que o sr. usou para explicar a dor psicogênica, e pergunto se as dores corporais mais comuns não comportam sempre uma parte de histeria.*

Dor, histeria e psicose

A sua pergunta se insere bem no nosso encaminhamento. De fato, penso que todas as dores que nos afetam, da mais séria à mais banal, comportam uma parte de histeria. Poderíamos dizer de outra forma: a dor orgânica se origina parcialmente segundo o mecanismo da conversão histérica. Entretanto, ocorre-me, ao contrário, questionar a afinidade entre a formação de uma dor corporal e a gênese de um sintoma psicótico. Como se a eclosão de uma dor corporal evocasse às vezes a eclosão de uma histeria, às vezes a de uma psicose. Efetivamente, a escolha entre histeria e psicose depende da nossa maneira de conceber o destino da representação do corpo lesado. Lembrem-se de uma das hipóteses maiores sobre a geração da dor: o superinvestimento da imagem mental da região lesada e dolorida do corpo. O problema, precisamente, é saber até que ponto o eu pode suportar essa representação, que se tornou incompatível com ele. Dissemos que a dita representação estava excluída do conjunto das outras representações do eu; isto é, que ela era inconciliável com o resto do sistema. Muito bem. Mas a questão que se apresenta agora é o seu grau de exclusão. Ela é excluída, continuando ao mesmo tempo ligada às outras representações? Ou então é excluída, a ponto de ser rejeitada até ver-se expulsa do eu, como se o eu tivesse arrancado das suas entranhas essa parte nociva de si mesmo, para expulsá-la para fora?

Essa interrogação pode parecer abstrata e puramente especulativa, mas levanta um problema clínico maior para o praticante. Vou explicar. Se a representação psíquica fosse mantida a distância, mas continuando no seio do sistema, a dor corporal se explicaria por um mecanismo de conversão aparentado com o da histeria. A dor seria então o duplo somático de um elemento simbólico, ou, em outros termos, a expressão somática da representação do corpo lesado. Seguindo essa orientação, faríamos da dor corporal um sintoma histérico, ou até concluiríamos que todo sofrimento físico, qualquer que seja, comporta uma parte de histeria. Poderíamos ainda enunciar que a parte psíquica na origem de toda dor orgânica está submetida às mesmas leis da conversão histérica.

Se, pelo contrário, seguirmos a outra orientação, que considera a exclusão da representação do corpo lesado como uma expulsão radical do eu, assimilaríamos o mecanismo da dor corporal ao da foraclusão, mecanismo específico da psicose. Nesse caso, deveríamos tirar uma outra conclusão: toda dor física obedece às mesmas leis de produção que uma alucinação psicótica.

Finalmente, que posição adotar? Não poderíamos decidir. Constatamos mais uma vez que a dor escapa por entre os nossos dedos e foge à razão. E como ela se situa não só no limite do corpo e da alma, mas também na fronteira entre histeria e psicose.

LIÇÕES SOBRE A DOR

Lição I
A Dor, objeto da pulsão sadomasoquista

*

Lição II
A Dor na reação terapêutica negativa

*

Lição III
A Dor e o grito

*

Lição IV
A Dor do luto

As páginas que se seguem são a transcrição de um curso que deu origem a esta obra. Apesar da diferença de estilo entre as lições que serão lidas e os capítulos precedentes, a mesma e única intenção atravessa o nosso livro: elevar a dor à posição de conceito psicanalítico. Ao longo destas *Lições*, marcadas pela influência da teoria de Lacan, o leitor descobrirá a trajetória de um pensamento que se constrói e não a transmissão de um saber já estabelecido. Assim, para ser fiel a esse espírito de pesquisa, preferi conservar o tom oral, os desvios obrigatórios e os questionamentos que balizam inevitavelmente os caminhos de uma elaboração. Entretanto, uma hipótese bem definida orienta todo o nosso percurso: a dor é uma das figuras mais exemplares do gozo; do gozo não no sentido de prazer sexual, mas entendido como a tensão máxima suportada pelo psiquismo. Assim, a dor é o último grau de um gozo no limite do tolerável.

Lição I
A Dor, objeto da pulsão sadomasoquista

A Dor é uma das formas
de aparecimento da sexualidade na transferência

Vamos esboçar a paisagem do nosso problema. Por que interessar-se pela dor? Onde se situa a questão da dor? Lembro, antes de mais nada, que estamos ligados a uma tese, muito importante para mim, segundo a qual a relação transferencial se identifica com o inconsciente. Já apresentamos essa tese há dois anos, e a partir daí, procuro defendê-la; é o nosso ponto de partida. Até poderíamos formular que a transferência, a exemplo do inconsciente, é estruturada como uma linguagem; isso me parece uma proposição nova, que abre diversos campos de pesquisa. Justamente, tive a ocasião de comentar, para uma revista americana, uma obra consagrada à transferência, escrita por um psicanalista de renome nos Estados Unidos, Merton Gill. Nesse artigo, dirijo ao autor a seguinte mensagem: afinal, não há nada que ligue tanto dois seres um ao outro quanto o fio dos significantes que lhes são comuns. Isso implica que, em diferentes momentos de um tratamento, o analisando e o analista são capazes de dizer sem saber o que dizem. Nada nos liga tanto ao outro quanto dar-lhe uma réplica cujo alcance desconhecemos. Esse entrelaçamento de significantes liga muito mais do que todo amor ou todo ódio. A transferência é pois mil vezes mais poderosa no nível dos laços significantes do que no nível das relações afetivas.

Ora, nessa transferência estruturada como uma rede significante, há a sexualidade que emerge, do mesmo modo que ela emerge no inconsciente. Vamos chamar agora essa sexualidade de "gozo", e vamos perguntar quais são as formas sob as quais o gozo se apresenta na relação analítica. Como se manifesta a sexualidade na relação analítica? Será que o amor basta? Será que ao dizer: "existe amor de transferência", isso nos autoriza a postular a presença da sexualidade? São essas as perguntas que se abrem para o problema da dor. Com efeito, creio que a dor é uma das formas de aparecimento da sexualidade na transferência ou, mais ainda, do gozo. É isso que tentamos pesquisar, concluir, compreender. Ora, entre essas questões gerais que visam delimitar as diferentes formas do gozo na transferência e aquela, mais particular, que quer saber se a dor é uma dessas formas, há um elo intermediário que é o seguinte: creio — é minha hipótese — que todas as formas de gozo no interior da relação transferencial são dominadas pelo objeto. Essas diversas figuras do gozo, eu as chamo de "*formações do objeto* a". Essa denominação que as reúne me impõe a tarefa de encontrar para elas uma lógica comum. Assim, estudamos a dor, e procuramos saber se ela responde ou não à lógica própria às formações do objeto *a*, isto é, se o aparecimento da dor no seio do tratamento obedece às mesmas leis que as das manifestações do gozo na transferência.

É pois nessa perspectiva que abordarei o tema da dor. Lembro que já enfatizamos a noção de dor como excitação.[21] Nós nos referimos ao "projeto",[22] onde encontramos a definição da dor corporal como uma excitação violenta irrompendo no sistema de pára-excitações do aparelho psíquico. A única observação que me parece importante guardar hoje é que a dor, considerada sob o ângulo de uma excitação traumática, não responde aos critérios de prazer e desprazer. Certamente, ela é um afeto penoso e desagradável, mas possui uma qualidade muito diferente do desprazer. Lembremos que o advento da dor significa a abolição do princípio de prazer/desprazer regulador do funcionamento do nosso psiquismo. Assim, poderíamos afirmar que quando há dor, estamos além do princípio de prazer.

*

*A Dor inconsciente
é uma satisfação sexual*

Vamos agora tentar conceber a dor como objeto. Podemos começar com duas interrogações presentes na obra freudiana, mas que não são nitidamente formuladas. Desejo que essas interrogações sejam também as nossas: "Como uma dor pode suscitar uma satisfação sexual?" e "Como uma dor pode ser inconsciente?"

Comecemos pela primeira, a segunda se inserirá por si mesma na nossa demonstração. Perguntamos pois: "Como uma dor pode ocasionar uma satisfação sexual?" A essa pergunta, Freud propõe uma resposta que não nos satisfaz. Ele responde utilizando o conceito de apoio, segundo o qual uma excitação sexual se apóia e nasce a partir de uma excitação corporal; no nosso caso, poderíamos dizer que a excitação sexual se apóia sobre uma sensação dolorosa. Ao sabor dos textos, Freud afirmará que a dor física, como excitação que ultrapassa um certo limiar quantitativo, pode ser o suporte ou a fonte de um prazer sexual perverso. De fato, do ponto de vista analítico, todo prazer sexual é um prazer perverso pois está à margem da vida fisiológica do corpo. O prazer sexual é um "algo mais" que se acrescenta à estrita satisfação de uma necessidade ou de um desregulamento do corpo. Assim, uma dor física pode perfeitamente ocasionar uma excitação e uma satisfação de natureza sexual. É a posição adotada por Freud em dois textos, *Três ensaios sobre a teoria sexual*[23] e vinte anos depois, em "O problema econômico do masoquismo".[24] Em "Pulsões e destinos das pulsões",[25] Freud tomará às vezes uma posição oposta, notando que é a dor física que, ao contrário, transborda e invade o domínio do sexual. Mas quer a dor transborde para a sexualidade ou quer a sexualidade transborde para a dor, trata-se sempre de uma coexistência. Freud chama essa relação de "coexcitação libidinal". É assim que ele responderia à nossa pergunta, dizendo que a coexcitação libidinal explica por que se pode achar um gosto perverso em um vivido doloroso.

Mas, como eu dizia, essa resposta não nos convém; é preciso ir mais longe. É preciso que façamos uma pergunta que, finalmente, nem sempre se faz: qual é a gênese da sexualidade, de onde vem ela? A resposta de Freud e, mais tarde, a de Lacan são mais ou menos semelhantes. A sexualidade emerge na nossa relação com os orifícios do corpo; ali onde há bordas, insuficiências, lábios palpitantes, onde o corpo estremece, abre-se e fecha-se. A sexualidade nasce onde o corpo vibra e desfalece. Em uma falha, não só orificial, mas temporal. De fato, há uma defasagem temporal entre a pulsão que jorra por impulsos parciais e desorganizados, e um eu imaturo que não está pronto para integrar esses transbordamentos incontroláveis do desejo. Freud o enuncia à sua maneira, situando o eu *aquém* das pulsões sexuais que ele não consegue integrar, e *além* dessas mesmas pulsões, quando o eu imagina o corpo mais maduro do que é.

Com Lacan, tudo fica mais claro porque ele inventa o famoso estádio do espelho. Nesse estádio, trata-se afinal de uma discordância, de um afastamento básico entre um corpo prematuro e a imagem antecipadora desse mesmo corpo já maduro. Trata-se pois de um afastamento temporal entre um corpo insuficiente e sua imagem refletida, demasiado unitária e demasiado elaborada. Ou ainda entre um corpo que experimenta o pulular inquietante das sensações internas e uma imagem, diante dele, unitária e jubilatória, que o reflete. A sexualidade nasce ali, na discordância entre nosso corpo insuficiente e um imaginário demasiado antecipador de uma maturidade que nunca será verdadeiramente atingida. É nesse afastamento de níveis, entre esses dois planos do corpo e da imagem, que se pode situar o ponto de nascimento da libido concebida como uma espécie de energia hidráulica.

Mas o estádio do espelho ainda não nos oferece a matriz completa da gênese da sexualidade. O que nos dá essa matriz completa é uma discordância, sim, mas não entre um corpo prematuro e uma imagem, não entre um corpo que falha e uma imagem antecipadora, mas entre o desejo da criança e o da sua mãe. A discordância essencial, quase axiomática para a psicanálise, consiste em que o desejo da criança é absolutamente inoperante diante do desejo da mãe. Pode-se até qualificar esses dois desejos, um de impotente e outro de impossível, e formular que a impotência do desejo da criança — impotência dos meios físicos necessários para realizar o ato sexual — se choque com o caráter impossível, isto é, inaceitável, do desejo da mãe. É nessa discordância vivida pela criança entre a impotência do seu desejo e a inacessibilidade do desejo do Outro que se situa, na etapa fálica, no momento do complexo de Édipo, o nascimento da sexualidade. Vamos mudar os termos, e ao invés de dizer "nascimento da sexualidade", digamos "aparecimento do falo como significante". A partir desse desacordo básico entre um desejo insuficiente, prematuro — o da criança — e o desejo intolerável e impossível da mãe, surgirá o falo como significante que vem marcar todas as dissimetrias entre impotência e impossibilidade, ou entre a prematuridade e o logro imaginário de um Todo possível.

*

A Dor, um novo objeto da pulsão

A partir dessa conjuntura em que vemos nascer e impor-se o falo, a teoria analítica afirma que todos os objetos, que caracterizamos como objetos de pulsão — a voz, o seio, o olhar etc. — seguem exatamente a mesma separação, o mesmo destacamento do corpo que o falo. Da mesma maneira que o falo nasceu, nascerão o seio como objeto da pulsão oral, o olhar como objeto da pulsão escópica, a voz como objeto da pulsão invocadora, e as fezes como objeto da pulsão anal. Proponho-lhes admitir que a dor é gerada no mesmo molde e obedece às mesmas condições de nascimento que todos esses objetos. Vamos observar entretanto que o falo, ao contrário de todos os objetos pulsionais, inclusive a dor, não só se destaca do corpo, mas principalmente constitui-se como significante. O falo é o único objeto capaz de tornar-se significante. Vou explicar. O seio como objeto de pulsão oral, o olhar etc., são realmente objetos que se formam na encruzilhada do complexo de castração, mas nenhum deles jamais terá, como o falo, a possibilidade de tornar-se significante. Todos são como processos abortados que não conseguem constituir-se em significante. Com o pênis, é muito diferente. Na época edipiana, na relação do desejo da criança com o desejo da mãe, o pênis não é um objeto que se perde, mas um objeto ameaçado. A castração não é, propriamente falando, uma perda ou uma mutilação mas apenas uma ameaça. Ameaça que provoca uma tal angústia que a criança é obrigada a encontrar uma solução para o seu impasse. Para afastar a ameaça da mutilação do seu órgão, ela encontra a saída mais humana possível: inventar um significante. Para salvar o seu pênis, ela o transforma em símbolo. Ora, a diferença entre o pênis e todos os outros objetos consumíveis pelo desejo e destacáveis do corpo é que o pênis é a única parte do corpo suscetível de tornar-se significante. Não haverá um seio significante, nem uma voz significante, nem ainda fezes significantes, pela simples razão de que nenhum desses objetos se destaca sob o domínio da ameaça e da angústia. Assim, nenhuma dessas partes separáveis do corpo terá acesso à posição de significante. Em contrapartida, elas permanecerão subordinadas a orifícios erógenos e se tornarão caducas, sob a égide do desejo sexual. Como se o desejo sexual fosse atraído por esses objetos, os consumisse e depois os jogasse fora. O objeto da pulsão, tal como a chupeta ou até o mamilo materno, é pois um objeto descartável: uma vez utilizado por nossos desejos, nós o deixamos cair e tratamos de outra coisa, de outro objeto. É o que Lacan teria chamado a "queda do objeto *a*". O destino do pênis é completamente diferente; ele não cai, pelo contrário, será elevado ao estatuto de significante do desejo. Ora, justamente, quando o desejo consome um objeto e resta um resíduo deste, a queda desse resto obedece à lógica do desejo sexual e do seu significante, o falo. A relação da criança com o seio é uma relação dominada pelo desejo: ela procura o seio, o consome e o abandona. Diremos então que o desmame é uma separação regida pelo significante fálico, pela simples razão de que o falo é o significante do desejo. Observemos, de passagem, que a atração pelo seio é, do ponto de vista que defendemos aqui, uma expressão do desejo sexual do lactente, e que o prazer de sugar é igualmente de ordem sexual.

Justamente, é esse processo de separação que se trata hoje de precisar melhor, não tratando, desta vez, do seio ou do olhar, mas da dor. A idéia que eu gostaria de propor, logo nesta lição, é que *seria necessário acrescentar a dor à lista dos objetos pulsionais* e conceber o seu destacamento do corpo como uma separação operada pelo significante fálico. Ora, quais são as condições que permitem pensar e verificar que a dor é fálica, isto é, que a dor é um objeto consumível pelo desejo? Em outros termos, como conceber que a dor possa satisfazer um desejo que é, por essência, sexual? Há três condições que desejo enunciar:

• Para que haja desejo sexual, é preciso que o Outro esteja presente.

• Para que haja desejo sexual, é preciso um movimento da pulsão segundo um trajeto circular composto de três curvas: a primeira, ativa, indo para o Outro; a segunda, passiva, vindo do Outro; e a terceira, ativa, dirigida para si mesmo.

• E enfim, para afirmar que a dor é um objeto de satisfação sexual, é preciso que ela demonstre ser um objeto-furo. É realmente esta última condição que é a mais difícil de admitir.

*

□ *Pode-se falar de uma "erotização" da dor?*

No conceito freudiano de coexcitação libidinal, temos a explicação do que o sr. chama de "erotização da dor". Sabemos que um vivido doloroso pode ser fonte de um prazer sexual. Mas também pode-se compreender de outra forma a referida "erotização". Vamos imaginar uma fratura da perna. O sujeito reage instantaneamente, investindo narcisicamente a lesão óssea que o faz sofrer. Freud teria declarado que o eu superinveste narcisicamente o local doloroso do corpo. Mais exatamente, ele superinveste a representação psíquica da zona lesada e dolorosa. Freud não diz que há um superinvestimento narcísico sobre o local ferido do corpo, mas sobre a *representação* mental desse local. Ora, o que é o representante psíquico do ponto doloroso? Nada mais do que uma representação isolada na rede das representações do eu. Lembro que uma das definições do eu o situa como projeção mental da superfície do corpo. O eu é, de fato, uma projeção mental tópica. Isso significa que a representação superinvestida narcisicamente é uma imagem mental, uma representação desta ou daquela zona corporal. Provavelmente, o superinvestimento afetivo e energético do representante psíquico do local ferido pode se compreender como uma superexcitação libidinal equivalente ao prazer sexual perverso "apoiado" sobre uma função fisiológica. Desse ponto de vista, uma dor corporal comportaria necessariamente uma certa erotização. A propósito de erotização, tenho uma bela citação de Freud, que desejo ler. Para explicar a erotização como o superinvestimento de uma representação, ele usa o modelo do pênis em ereção. Freud escreve: "Conhecemos o modelo de um órgão *dolorosamente* sensível, sem contudo estar doente no sentido habitual: é o órgão genital em estado de excitação. Ele fica então congestionado, turgescente, úmido, sede de sensações diversas. Chamamos erogeneidade de uma parte do corpo a essa atividade que consiste em enviar para a vida psíquica excitações [isto é, investir afetivamente as representações mentais do corpo]. [...] A erogeneidade — conclui Freud — [é] uma propriedade geral de todos os órgãos."[26]

*

A Dor, objeto da fantasia sadomasoquista

Mas voltemos à nossa pergunta: como aceitar que uma dor seja uma satisfação sexual? Poderíamos nos contentar em responder que a dor é um gozo fálico. Mas acontece que frases feitas nos obrigam a retomar as coisas no ponto de partida. Qualificar a dor de gozo fálico equivaleria a dizer que a dor é um gozo sexual gerado sob a égide do desejo sexual e do seu significante, o falo. Deveríamos pois encontrar no nascimento da dor a mesma conjuntura edipiana, em que o desejo impotente da criança se defronta com o desejo inacessível da mãe. Entretanto, já disse que essa resposta não nos basta e que ela não esclarece em nada a dor da melancolia, ou da histeria, por exemplo. Para que uma dor seja considerada como um gozo sexual, é preciso mais do que a reprodução da conjuntura fálica. É preciso que sejam reunidas as três condições que enunciei há pouco.

Ora, essas três condições se verificam nitidamente quando abordamos a dor como objeto da pulsão sadomasoquista. Sem me deter no conceito geral de pulsão, e antes de abordar o que me parece essencial para nós, quero simplesmente fazer algumas observações a propósito da pulsão sadomasoquista.

Primeiro, digo "pulsão sadomasoquista" e não "perversão sadomasoquista"; a pulsão, com efeito, não é a perversão. A diferença é clara: na pulsão, o objeto se apresenta como que em estado nu, livre de qualquer semblante, enquanto que na encenação perversa, o que dá coerência e ajusta o roteiro perverso é precisamente o semblante de objeto pulsional. Por exemplo, o objeto da pulsão escópica é o olhar, mas o que importa na perversão do voyeur ou do exibicionista não é o olhar em si mesmo, mas a forma, o semblante do olhar. Ora, qual é o semblante do olhar, no caso do voyeur? É o pudor do outro, o rubor da menina diante do fato de que alguém a descobre nua. Ou ainda a surpresa, a vergonha e a cólera do casal enlaçado diante daquele que, dissimulado, os observa fazendo amor. O que o voyeur procura surpreender verdadeiramente não é a intimidade do casal, mas o momento em que os parceiros surpresos vão cobrir-se de vergonha e reagir com violência. Assim, na perversão, não é o objeto que importa, mas o semblante do objeto, isto é, os efeitos que o objeto provoca e a situação que ele cria. Ao passo que na pulsão é o próprio objeto. Há uma segunda diferença entre pulsão e perversão. É que, na última, o objeto se coagula e se cristaliza no seu semblante, e os atores do roteiro desempenham papéis estereotipados. Por exemplo, na perversão sadomasoquista, o lugar do sujeito só pode ser o de agente ou de vítima; no voyeurismo, o perverso é quem vê, e no exibicionismo, quem mostra etc. Enquanto que, no caso da pulsão, o sujeito não ocupa um lugar nitidamente definido; até seria necessário dizer que o sujeito não está ali, que não há sujeito. A pulsão é uma montagem acéfala, reduzida à simples épura de um circuito que gravita em torno de um objeto — o olhar, a dor, ou outra coisa. Falo pois de pulsão sadomasoquista e não de perversão sadomasoquista. É, evidentemente, uma diferença teórica, pois sempre será difícil discernir estritamente quando funciona a pulsão e quando funciona a perversão. Mas já é importante esclarecer essa distinção.

Ora, a dor, na pulsão sadomasoquista, só aparece ao fim de três tempos. Três tempos da pulsão que se sucedem segundo dois dos quatro destinos da pulsão. Esses destinos são: o recalcamento, a sublimação, o *retorno* sobre a própria pessoa e enfim a *interversão* dos alvos. Os dois que nos interessam aqui são: o retorno, que se refere à fonte e a interversão, que se refere ao alvo. Segundo a maneira pela qual vão se produzir os processos de interversão e de retorno, distinguiremos pois três tempos. Três tempos definidos segundo as formas gramaticais do verbo que indica a ação da pulsão. Tratando-se da pulsão sadomasoquista, o verbo é "atormentar", e os três tempos serão pois: forma ativa, "atormentar"; forma passiva "ser atormentado"; e forma reflexiva, "atormentar-se a si mesmo". A dor só aparece no fim do terceiro tempo (Fig.4).

*

O *primeiro tempo* — "**atormentar**" — do trajeto da pulsão sadomasoquista corresponde ao movimento de uma tendência puramente sádica; sádica no sentido geral do termo. Nesse primeiro impulso da pulsão, o alvo é *atormentar* o Outro, mas sem a intenção de fazer-lhe mal, nem de gozar com o seu mal. Não se trata propriamente de provocar a dor no Outro. Freud propõe uma observação importante, à qual voltará freqüentemente. O sadismo desse primeiro tempo é, segundo ele, uma tendência pulsional agressiva, sem dúvida, mas sem intenção de provocar sofrimento. Ele o chama de "pulsão de dominação", isto é, pulsão de possuir o objeto sem com isso lhe fazer mal. Existe uma vontade de vencer o Outro e dominá-lo, sem fazê-lo sofrer. Freud dá o exemplo das crianças "sádicas", que destroem tudo o que encontram pelo caminho, sem procurar, entretanto, provocar a dor. Pode-se chamar esse sadismo destruidor mas desprovido de má intenção de "sadismo originário".

O *segundo tempo* — "**ser atormentado**" — é o do retorno contra si dessa primeira tendência sado-agressiva. É nesse *retorno* contra a própria pessoa que o eu experimenta verdadeiramente a dor e goza masoquisticamente ao sofrê-la. São a dor e o prazer provocados pelo tormento que um Outro suposto sádico lhe infligiria. Que Outro? O próprio eu ou, mais exatamente, uma parte do eu. O eu se cinde em dois: um, que faz o mal, o outro que sofre e goza ao experimentar o mal. Acabo de dizer "eu", enquanto há pouco afirmei que não havia

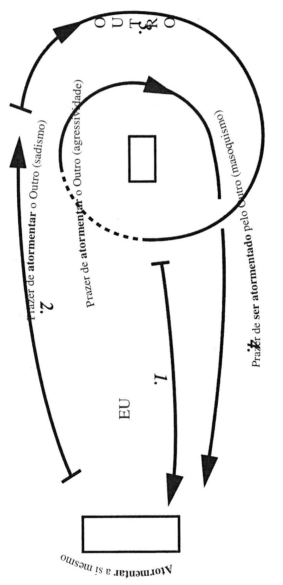

Figura 4

Os quatro tempos da pulsão sadomasoquista:
1. *atormentar* (agressividade); 2. *ser atormentado* (masoquismo);
3. *atormentar a si mesmo*; 4. *atormentar* (sadismo).

sujeito na pulsão. Utilizaremos, todavia, esse termo durante a nossa explicação, e veremos como o eu desaparece enquanto sujeito.

O segundo tempo é pois o tempo masoquista. Mas devo introduzir aqui uma observação. Freud modificou consideravelmente a sua concepção de masoquismo. Em 1915, pensava essas coisas como eu as expus, enquanto que em 1924, em "O problema econômico do masoquismo", acrescenta uma precisão. Seria necessário, pensa ele, conceber o masoquismo não mais como aparecendo depois da pulsão sado-agressiva, mas como se ele já estivesse ali bem antes desse primeiro tempo. É o que Freud chama de "masoquismo primário". Mas proponho, para não embaralhar as nossas pistas, deixar essa observação de lado, e abordar o terceiro tempo, tal como está descrito na *Metapsicologia*.[27]

Terceiro tempo — "**atormentar-se a si mesmo**" — "Uma vez que sentir dor se tornou um alvo masoquista, pode então aparecer retroativamente o alvo sádico secundário de provocar a dor no outro." Nesse terceiro tempo do "sadismo secundário", a tendência é fazer o Outro sofrer e assim, ter prazer com a sua dor. Mas o pensamento de Freud não é tão simples: até aqui, ainda não chegamos à dor sexual. Nesse último tempo do sadismo propriamente dito, o prazer de fazer o Outro sofrer só pode se compreender se aceitarmos que a vítima seja primeiro e antes de mais nada... o próprio eu. O Outro humilhado, espancado, conspurcado ou rebaixado é o eu, como se se tratasse de um segundo retorno contra si. Com efeito, como vemos, a pulsão volta duas vezes sobre o eu: uma primeira vez quando tem um prazer masoquista em ser atormentado pelo Outro (*segundo tempo*), e uma segunda vez quando se trata de sentir a mesma dor que o Outro atormentado sente. O eu se atormenta a si mesmo, faz mal a si mesmo para saber o que sentirá o Outro atormentado. É ali que Freud utiliza o verbo na sua forma reflexiva: "atormentar-se a si mesmo". Compreendemos assim que o nosso terceiro tempo do sadismo propriamente dito comporta dois momentos: o de fazer mal a si mesmo e o de fazer com que o Outro experimente a mesma dor que se sentiu.

Vamos ficar ainda por um momento nesse terceiro tempo, "atormentar-se a si mesmo". Quando digo "si mesmo", quero dizer que é o próprio eu que é vítima e agente do tormento. Peço que não considerem esse raciocínio como um malabarismo teórico: trata-se de uma noção-chave do ponto de vista clínico. Por quê? Porque, se aceitamos essa idéia, devemos tirar várias conclusões. O que significa, afinal, esse momento: "atormentar-se"? Quer se trate da dor que se inflige sem intenção maldosa (*primeiro tempo*), quer se trate da dor que se sofre masoquisticamente (*segundo tempo*), ou da identificação com o Outro sadizado (*terceiro tempo*), estamos sempre diante de uma dor masoquista, isto é, o prazer de uma dor sofrida pelo eu. E isso pela seguinte razão, que Freud nos explica: há identificação do eu com o Outro que sofre. No âmbito da pulsão sadomasoquista, a dor é sempre sofrida pelo eu, seja porque ele a sofre ele próprio, seja porque ele se identifica com quem a sofre. Mas, em todos os casos, é o eu que sofre a dor. A partir daí, pode-se concluir que o gozo sexual, no âmbito da pulsão sadomasoquista, é sempre um gozo fundamentalmente masoquista. A tal ponto que nem se deveria mais falar de pulsão "sadomasoquista", mas de pulsão masoquista apenas.

Neste ponto, devemos fazer uma observação. Mesmo no caso da perversão propriamente dita, o sádico, aquele que atormenta o seu parceiro, também goza um gozo masoquista. Por quê? Porque ele age segundo a vontade de um Outro. Em outras palavras, posso gozar masoquisticamente por ser a vítima de um castigo, mas também posso gozar por ser submetido à lei ou à vontade de um senhor. Já que o sádico age segundo a vontade de um senhor supremo, ele goza masoquisticamente da sua condição servil.

Essas observações são clinicamente importantes, porque modificam a maneira de escutar os nossos analisandos. Não falo necessariamente dos pacientes perversos, que vêm pouco à análise, e quando vêm não ficam muito tempo. Os verdadeiros perversos só consultam o analista em certos momentos de abatimento, e isso dura muito pouco. É por isso que é tão difícil ter uma experiência clínica com sujeitos que praticam a atuação perversa. Entretanto, são eles que nos ensinam muita coisa sobre as fantasias perversas dos neuróticos. Logo, quando recebemos um paciente que apresenta os sintomas de um perverso sádico, tentamos fazer com que ele compreenda que o gozo que o anima é, na verdade, um gozo masoquista, pois ele se faz objeto da vontade de um Outro.

Vamos concluir. A dor só aparece no terceiro tempo: fazer mal, atormentar-se a si mesmo; isto é, a dor só aparece quando o eu se identifica com o Outro que sofre o mal e, além disso, quando o eu se identifica com aquele que provoca o mal. Logo que o eu se identifica com o Outro masoquista e sádico, logo que assume os dois papéis, ele instala no palco do seu psiquismo os personagens da fantasia sadomasoquista: um supereu sádico e um eu sempre masoquista. No caso da histeria, opera-se o mesmo desdobramento: lembremos o texto de Freud, *As fantasias histéricas e sua relação com a bissexualidade.*[28] Nessa obra, Freud descreve o exemplo de uma fantasia em que a histérica é ao mesmo tempo o estuprador e a jovem estuprada. Freud tirou essa conclusão do caso de uma paciente que, com uma das mãos, crispada, imitava a mão do agressor, enquanto a outra mão fazia o gesto da vítima pedindo socorro. A partir desse exemplo, compreende-se que uma fantasia implica sempre uma dupla posição intercambiável: sujeito estuprador e sujeito estuprado, carrasco e vítima.

No caso do sadomasoquista, encontramos a mesma complexidade: o eu é aquele que faz o mal, que faz mal a si mesmo, e aquele que sofre o mal. O que é importante em ambos os casos é que o sujeito goze um prazer masoquista. Por quê? Pela simples razão — insisto — de que ele goza por ser a vítima e o agente.

Vamos resumir. A dor como gozo sexual emerge justamente no momento em que o eu abandona a realidade exterior para viver apenas os personagens da sua fantasia. Aparece assim uma convergência e uma condensação entre três termos: o eu que sofre a dor, o eu sádico que se auto-atormenta (supereu sádico) e a própria dor. Temos assim três termos que se conjugam e se fundem em um só elemento: o eu que goza com o seu próprio sofrimento. Em suma, estamos diante de uma convergência Ego/Outro/Dor, os três tornando-se fantasisticamente uma única e mesma coisa.

*

Mas então, em que consiste a dor? A dor é o objeto em torno do qual se instaura o complexo pulsional, gira o circuito pulsional. A dor é — como eu a defini no meu livro *A criança magnífica da psicanálise*[29] — um intermédio, um corpo intervalar. A dor se destaca do corpo e cai no espaço intermediário entre o eu e o Outro, entre o eu que goza em sofrer e aquele que goza em fazer sofrer, ou ainda, mais simplesmente, entre o eu masoquista e o supereu sádico. Certamente, pode-se encarar a dor como um objeto ao qual o eu se identifica, mas a dor continua sendo em si mesma um objeto ausente, em torno do qual gira o circuito pulsional. É isso que é difícil de apreender. Fora da fantasia, não temos representação clínica da pulsão, e ainda menos do objeto pulsional. Se me perguntam onde se encontra a dor na transferência, seria preciso procurar a fantasia sadomasoquista na relação analítica; e imaginar que a dor — objeto pulsional — não tem substância. É uma dor-furo, uma dor intervalo.

☐ *O que o sr. pensa do sadismo do torturador?*

Haveria uma palavra melhor para designar o torturador; a palavra "atormentador". Pois bem, à luz de nossos desenvolvimentos de hoje, eu diria que o sadismo do torturador é um gozo masoquista. Em que se transforma o torturador? Seu destino é constatar, às vezes rápida às vezes lentamente, que ele foi apenas o miserável instrumento de outra pessoa. E quando ele violentava a sua vítima, ignorava que ele próprio gozava masoquisticamente em ser o instrumento de um senhor supremo que o comandava. Além da sua frieza e da sua crueldade, o torturador tem algo de um fantoche monstruoso. Os perversos se chocam com o mesmo limite quando, por exemplo, o masoquista constata que a dor não deve ser demasiado intensa, senão ocorre a morte; ou quando o sádico constata que não é mais do que uma marionete guiada pela mão de um senhor. É então que ele se angustia diante da sua própria imagem grotesca. Esse confronto do perverso com o seu próprio limite tem o nome de "renegação da castração". Essa fórmula significa que o sujeito perverso reconhece que é castrado, ao mesmo tempo em que nega os seus limites e acredita poder ir até o fim. Ora, justamente, nenhum ser falante pode gozar até o fim. É por essa razão que o gozo masoquista é um gozo parcial, em relação a um gozo incomensurável, o da vontade do Outro. É aí que se situa o problema: a noção do Outro funciona tanto para o perverso quanto para o psicótico ou o neurótico. Para o neurótico, há um gozo do Outro, mas não se trata, como para o perverso, do gozo de um Deus ou de um Senhor. O Outro do neurótico é um pai gozador e possuidor de todas as mulheres; é um pai fantasisticamente perverso. Enquanto que, para o sujeito perverso, o gozo do Outro é a vontade insaciável de um senhor que lhe ordena o seu ato; para o neurótico, o gozo do Outro é a luxúria de um pai.

Antes de concluir, vamos anunciar o tema que desenvolverei na próxima sessão. Disse há pouco que, na pulsão, o objeto aparece desembaraçado de qualquer semblante, enquanto na perversão o semblante ocupa o centro do roteiro perverso. Ora, o semblante que se cristaliza no roteiro sadomasoquista, o semblante da dor é o *grito*. O que é fetichizado, o que é cristalizado, aquilo em torno do que se instala a cena perversa, é um grito que simula tanto a dor quanto o prazer. O simulacro da dor, isto é, o seu traço fetichizado, é o grito.

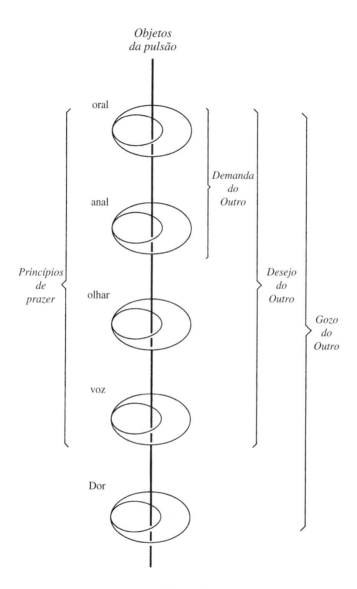

Figura 5

A dor é um novo objeto da pulsão, quando a pulsão está enlouquecida e não é mais regida pelo princípio de prazer.

Lição II
A Dor na reação terapêutica negativa

No esquema da página precedente, aparecem em coluna os cinco trajetos pulsionais. Cada um deles corresponde a um objeto da pulsão. O primeiro, é o objeto oral, depois o anal, o objeto escópico ou olhar, a voz, e enfim a dor. Os dois primeiros trajetos pulsionais se referem à demanda do Outro; os quatro primeiros se referem ao desejo do Outro e todos — em particular a dor — se referem ao gozo do Outro. Globalmente, diremos que o conjunto desses trajetos pulsionais é regido pelo princípio de prazer, com a exceção da dor, que supõe a neutralização desse princípio.

Na última lição, definimos as três condições que nos permitiam delimitar a dor como objeto da pulsão sadomasoquista. Depois dos quatro tempos do percurso pulsional, concluímos que o eu, o Outro e a dor ficavam confundidos em uma só e mesma instância: a dor como objeto de pulsão. Ora, essa identificação tem o nome de fantasia, mais exatamente de fantasia masoquista. Não diga fantasia sadomasoquista, mas apenas masoquista. Não vou voltar ao que já estabelecemos. A dor, pois, como objeto, só aparece na raiz da pulsão, depois da dupla curva da ida-e-volta do trajeto pulsional, no momento em que se fecha a segunda pequena curva. Lembremo-nos dos três tempos do movimento pulsional: "atormentar", "ser atormentado", "atormentar-se a si mesmo", e que é por ocasião do fechamento da segunda curva — "atormentar-se a si mesmo" — que o eu se identifica com o objeto dor. É nesse momento que a dor se constitui enfim em objeto de pulsão, isto é, em dor sexual. Mas não esqueçamos que a dor, objeto pulsional, é também dor fantasística, objeto de fantasia. Como objeto pulsional, a dor é um furo, uma ausência; e como objeto de fantasia, ela é esse mesmo furo, mas preenchido pelo sujeito (identificação do sujeito com o objeto). Ora, seja como furo vacante ou como furo habitado pelo sujeito, seja uma dor real ou fantasística, ela permanece invariavelmente inconsciente, tão inconsciente quanto as "fantasias originárias" de que fala Freud.

Assim, propusemos que se acrescentasse a dor à lista dos objetos pulsionais (objetos *a*). Se o seio se destaca do corpo segundo o corte da demanda *ao* Outro, as fezes segundo o corte da demanda *do* Outro, o olhar com o corte que significa o desejo *ao* Outro, e a voz com o corte do desejo *do* outro, a dor se ergue como o último objeto, como a derradeira fantasia diante não da demanda nem do desejo do Outro, mas do seu gozo. O que significa isso? Que a dor é a parte sacrificada para evitar sofrer, evitar confrontar-se com o gozo extremo e intolerável — mesmo que esse gozo seja uma ameaça irrealizável.

O gozo extremo e intolerável, o gozo do Outro é, para o neurótico, a tela de fundo de todas as suas fantasias, desde a cena primitiva até aquela que nos ocupa hoje, a fantasia sadomasoquista. Para esta, ao contrário das outras fantasias, esse sofrimento longínquo e inimaginável se torna sensível e iminente. A figura humana mais caricatural sob a qual o neurótico se representa o Outro em uma fantasia masoquista de flagelação, por exemplo, é a de um Outro perverso. De um Outro que ri ao me ver sofrer, que se mostra cruel e severo, exige e ordena. O que me ordena ele? Exorta-me a gozar e a sofrer, a gozar com o meu sofrimento. "Goza!", grita o meu supereu perverso. "Goza de tudo, mais-além da tua dor e da tua própria vida. Experimenta a morte conservando a tua vida!" Considerando-se o absurdo dessa exortação, o gozo efetivo que eu tiro da fantasia sadomasoquista — a dor e o prazer de sofrê-la — é apenas uma "morna satisfação", uma resposta muito modesta às ordens irrealistas de um supereu perverso. Em resumo, a dor é uma muralha diante do gozo do Outro, e isso duplamente: gozo com essa dor na minha carne mortificada, para não sofrer o louco gozo que a morte significaria. Mas também sofro essa dor do chicote para acalmar a vontade perversa do Outro.

Vamos concluir então que, para a psicanálise e unicamente para a psicanálise, a dor é um estranho alívio. E isso por duas razões: primeiro porque a dor é sofrimento para escapar ao sofrimento. Um sofrimento parcial, inserido em uma fantasia, para escapar a um sofrimento desmedido e perigoso. E depois alívio estranho, porque essa dor satisfaz uma forte necessidade de punição.

A estranha necessidade de ser punido

Que necessidade? De que natureza é essa necessidade imperiosa que requer uma dor para acalmá-la? Essa necessidade não é nada mais do que uma tensão intra-subjetiva que chamamos culpa inconsciente. A culpa é essa tensão entre o eu e o supereu, mais exatamente uma angústia. De fato, a culpa é uma angústia opressora, que exige uma descarga urgente e a sua exteriorização imediata. Ora, qual o melhor meio de baixar a tensão e aliviar a angústia culpada, senão ser punido e sofrer? É por isso que a dor que eu sinto na minha fantasia masoquista é uma dor que alivia. Alívio ainda mais definitivo, se um fragmento de realidade dramática vem ajustar-se à minha fantasia. Pode acontecer que um acidente, uma doença ou um luto ocorra na hora certa para suportar uma dor real e justificar uma culpa até então muda. Como se a culpa inconsciente só esperasse um acontecimento infeliz para exteriorizar-se e resolver-se.

Houve uma época na história da psicanálise em que alguns dos primeiros psicanalistas se preocuparam muito com essa culpa fantasística, com essa angústia culpada e inconsciente, que se exterioriza em uma dor procurada e vivida como apaziguadora. Depois da publicação, em 1923, do artigo "O ego e o id",[30] analistas como Reik, Tausk, Reich ou Alexander se debruçaram sobre o problema de saber como era possível que uma dor pudesse aliviar. À expressão freudiana "sentimento inconsciente de culpa", Reich acrescentará o qualificativo de "doloroso" e inventará a fórmula: "sentimento doloroso de culpa"; Tausk falará de "prazer doloroso". Nessas expressões, vemos superpostos os três estados afetivos, que entretanto é preciso separar: a culpa, que é uma angústia cuja opressão pode ser qualificada de "dolorosa" ("sentimento doloroso de culpa"). Depois, a própria dor experimentada em uma fantasia ou na realidade, em conseqüência de um acontecimento infeliz. É essa dor que consideramos justamente como objeto da pulsão. E enfim, terceiro estado afetivo, o do prazer proporcionado ao sujeito pelo fato de suportar uma dor — real ou fantasística — que alivia a tensão da angústia culpada. Esse prazer de viver uma dor, nós o chamamos de gozo parcial masoquista. O problema se complica se sabemos que não só o sujeito pode gozar com a dor provocada por uma punição, mas também com a opressão penosa que a própria culpa significa. Esse prazer de sentir-se culpado, Freud o chama de "masoquismo moral".

*

A reação terapêutica negativa: um modelo das formações de objeto a

As formas clínicas da fantasia masoquista, que transforma a angústia culpada em dor apaziguadora de que se goza, são múltiplas. Mas a mais importante dessas manifestações é a "reação terapêutica negativa". É uma questão, insisto, que interessou muito os analistas dos anos 40 e até dos anos 20. Em que consiste a reação terapêutica negativa? Depois que o analisando seguiu um trabalho analítico regular, e depois que se constatou uma melhora no seu estado, descobre-se, contra toda expectativa, que subitamente os seus sintomas se agravam. Por que isso? O que explica que, repentinamente, produza-se essa recaída e o paciente vá ainda pior do que por ocasião da primeira consulta? Freud afasta duas causas possíveis. A primeira é a inacessibilidade narcísica, isto é, o excesso de narcisismo que leva às vezes o paciente a se confrontar com o analista, com as interrupções do tratamento que possam resultar disso. A segunda causa, que Freud também afasta, é o que ele chama benefício secundário da doença: o estado do analisando pioraria para atrair a atenção e o amor do psicanalista. Mas nenhuma dessas razões é satisfatória para explicar tal reação negativa, tal regressão do tratamento. Freud interpreta de outra maneira o agravamento súbito dos sintomas. Pensa que essa recaída é uma penitência, que responde à necessidade inconsciente — isto é, muda — de ser punido. "Muda", no sentido de um estado de necessidade sem sinais exteriores que permitiriam detectá-lo. Mas a hipótese de Freud não se detém aí. Ele avança ainda a idéia inverossímil de que a necessidade inconsciente de sentir concretamente uma dor, e suprimir assim a opressão da angústia culpada, é talvez atribuída a uma outra pessoa. Sim, o sujeito chamaria para si a culpa de um outro, ficaria oprimido por ela, e a resolveria em um sofrimento curiosamente apaziguador. Alguém transmitiu ao paciente um sentimento inconsciente de erro, mas é o paciente que paga o preço. Ora, considerando-se as condições da transferência, por que não pensar que o sentimento inconsciente de culpa do analisando foi transmitido pelo próprio psicanalista? Não digo que seja forçosamente o analista, mas também não o excluo. Pergunto-me, e Lacan se perguntava, comentando "Análise com fim e sem fim", a respeito do rochedo da castração — isto é, da recusa do sujeito a assumir a sua feminilidade por razões narcísicas — Lacan se perguntava: mas não teria sido a maneira pela qual Freud conduziu o tratamento que levou o paciente a se entrincheirar atrás da sua feminilidade narcísica e a interromper o tratamento? Se tivermos na mente o princípio da transferência, não vejo por que nos recusaríamos a admitir que o sentimento inconsciente de culpa poderia emanar do psicanalista. Mas por enquanto, vamos deixar essa questão.

Esse exemplo de reação terapêutica negativa levou Freud a interrogar em que configuração clínica se apresenta principalmente o sentimento inconsciente de culpa. Lendo o texto "O ego e o id", temos a impressão de que o quadro clínico que responde a essas fantasias sadomasoquistas seria a neurose obsessiva. Ora, Freud diz que não! O sentimento inconsciente de culpa não aparece na neurose obsessiva; ou antes, ele pode aparecer mas não é o traço que a caracteriza. O caso exemplar para aquilo que nos interessa é o da histeria e dos estados histéricos. A culpa inconsciente se manifesta pouco na neurose obsessiva, porque o obsessivo está muito mais defendido, muito mais preparado. É como se ele tivesse conseguido definir e dominar a sua culpa, enquanto o histérico fica muito exposto. Se, aliás, evocamos a eventualidade de um suicídio, sabemos que um suicídio é muito mais provável entre os histéricos do que entre os obsessivos, e isso pela mesma razão. Observem ainda que a hipótese de uma culpa inconsciente e de uma dor apaziguadora já está claramente formulada nas "Cartas a Fliess".[31] A primeira vez que Freud menciona Hamlet, caracteriza-o justamente como um caso clínico de sentimento inconsciente de culpa.

Em resumo, a reação terapêutica negativa é a expressão clínica de uma fantasia sadomasoquista, ou antes de uma fantasia apenas masoquista. Mas que relação existe entre uma fantasia que dizemos inconsciente e a sua manifestação clínica? O problema que me preocupa é a "expressão" ou a "exteriorização" do inconsciente. É esse problema, justamente, que me leva a avançar a hipótese das *formações do objeto* a. Vou explicar. A reação terapêutica negativa é certamente um fenômeno observável que o analista e o paciente percebem sem dificuldade. Em contrapartida, a culpa inconsciente e a dor fantasística que a suaviza são inapreensíveis. Concluo que a dor, mesmo inconsciente e imperceptível, volta para o sujeito sob a forma de uma formação clínica. Uma formação clínica que, aos olhos do paciente, parece não ter nenhuma ligação com o objeto dor inconsciente (objeto pulsional e fantasístico). A constatação do analista e do analisando é realmente o recrudescimento dos sintomas; mas eles não estabelecem nenhuma ligação entre esse agravamento e a dor subjacente. Quando formulo "a dor volta para o sujeito", quero simplesmente dizer que a dor é percebida, sim, mas disfarçada e mascarada. Isto é, o objeto aparece ao sujeito, de fora, como a percepção de um acontecimento infeliz sem ligação com a sua verdadeira causa inconsciente.

*

O salto da libido de uma fantasia inconsciente para a consciência

Aqui, devo deter-me por um instante para esboçarmos uma lógica das formações do objeto *a*. Penso em um texto de Freud, no qual ele tenta distinguir paranóia e esquizofrenia. Esse texto — algumas páginas manuscritas enviadas a Jung por volta de 1907 — é uma tentativa de sistematizar diferentes "destinos da libido" e diferentes "variantes do recalcamento". Estas são as suas próprias palavras: "destinos da libido", "variantes do recalcamento". Nessa época, todos os analistas, os da Sociedade de Viena e os de Berlim, estavam preocupados com a questão do narcisismo, tema então dominante. O próprio Freud queria compreender os mecanismos das diferentes estruturas clínicas, com a ajuda do instrumento da metapsicologia. A paranóia, a esquizofrenia, a histeria, a hipocondria e a melancolia se explicariam segundo o movimento de recuo da libido. Segundo Freud, o recuo da libido variaria em função do eu para o qual essa libido volta. A libido recua diversamente, segundo a patologia do eu. Lembrem-se de que, no ano passado, definimos diferentes tipos de eu e assim evidenciamos um eu fragmentado — o da esquizofrenia — caracterizado por uma instância basicamente auto-erótica para a qual a libido volta. Depois, um eu hipertrofiado e megalômano, modelo do narcisismo primário. Não vou insistir nesse ponto e chego à observação mais interessante de Freud, em que ele afirma que, na paranóia, a libido deixa parcialmente a representação de objeto e volta para o eu. Ora, é um erro freqüente; quando se diz "recuo da libido", acredita-se que a libido deixa o mundo exterior para voltar para o eu. Mas não é do mundo exterior que a libido se destaca! *A libido se destaca da representação psíquica* de um objeto exterior, e esse é um traço essencial. Por quê? Porque o movimento da libido é *intra-subjetivo* e não intersubjetivo; ela se desloca exclusivamente no interior do eu. Já que, para Freud, a representação de objeto é o equivalente de uma fantasia de desejo, diremos então que a libido deixa parcialmente uma fantasia, e de modo algum a realidade exterior. E depois, o que acontece? Para que fonte ela volta? Deixemos de lado essa questão e vamos interessar-nos por uma segunda observação que me parece importante. A libido, pois, deixa parcialmente a representação de objeto, que não é o mundo exterior, que não é o objeto exterior, mas que é, pelo contrário, uma fantasia. E eis a proposição, que me parece muito feliz para a nossa hipótese da formação do objeto. Freud afirma: a libido parte e a representação de objeto, desembaraçada do seu investimento libidinal, se transforma em percepção consciente. Logo, a representação passa para o estado de percepção. E Freud precisa, observação essencial: quando uma representação é investida libidinalmente, trata-se de uma percepção endógena, endopsíquica. Em outras palavras: representação de objeto, fantasia de desejo ou percepção endógena seriam a mesma coisa. Mas quando a percepção endógena, isto é a representação, é desembaraçada do seu investimento, ela se torna percepção de um objeto exterior. E Freud acrescenta: no caso da paranóia, a libido deixa parcialmente a representação de objeto, que se torna então percepção consciente. Assim, a libido, que deixara parcialmente a sua representação, volta para o eu e investe fortemente a sua superfície perceptiva, que não é outra senão a consciência. Investindo intensamente a consciência, a libido torna excitável toda percepção para o exterior. É com esse argumento que Freud explica os fenômenos da crença delirante e da alucinação. Em outras palavras, é muito interessante que a alucinação e o delírio só surjam e só se constituam depois do salto da libido: ela deixa a fantasia para investir exclusivamente a consciência.

Aproveito a ocasião para dizer uma palavra sobre a minha maneira de ler Freud. Minhas referências aos textos freudianos, embora muito precisas e solidamente articuladas, não são puramente literais. Leio Freud no movimento do seu pensamento, no do meu e no movimento da vida dos meus pacientes. Assim, posso apenas transmitir aos srs. a minha leitura, ou mais exatamente aquilo que, de Freud, alimenta a minha reflexão.

Mas vamos prosseguir. Aplicarei agora à nossa fantasia sadomasoquista a mesma lógica, e verei ali o mesmo deslocamento interno da libido. É assim que poderemos compreender o mecanismo das formações do objeto *a*. Sejamos claros. A idéia de formação do objeto *a* me ocorreu como eco às formações do inconsciente. Estas se caracterizam por sua estrita obediência à lei da combinação significante: cada significante da formação do inconsciente fica ligado aos outros significantes por metonímia (deslocamento) e metáfora (condensação). Não voltarei a esse ponto, pois a maioria dos srs. conhece a lógica lacaniana do significante. Em contrapartida, faltava-nos um argumento para explicar o lugar do objeto da pulsão, em um suicídio, por exemplo. Não tínhamos hipótese para explicar o papel do objeto dor na reação terapêutica negativa. Por quê? Porque todos os fenômenos clínicos em que a pulsão parece enlouquecida, como o suicídio, o delírio, a alucinação, a passagem ao ato, o *acting-out*, ou ainda a reação terapêutica negativa, são formações psíquicas que se bastam a si mesmas e não remetem a nada mais. Já havíamos estabelecido essa distinção entre formações do inconsciente e formações do objeto em *Os olhos de Laura*, mas o que eu desejaria apreender agora, e o texto de Freud nos fornece um argumento para avançar, é a relação que existe entre a dor inconsciente no seu estatuto de objeto de pulsão e de objeto fantasístico, por um lado, e a reação terapêutica negativa, por outro lado. Classificarei a reação terapêutica negativa na mesma categoria que uma alucinação, um delírio ou uma passagem ao ato. Porque, de fato, estas últimas formações são mais que exemplos clínicos; elas constituem formações psíquicas que não remetem a nada além de si mesmas, e que consistem nisto: o objeto dor, para retomar a reação terapêutica negativa, não é apenas um objeto pulsional e fantasístico. A referida reação é também o que se transforma em um agravamento súbito dos sintomas. Bruscamente, meu paciente vai mal, percebe isso, e eu, o analista, também percebo, mas ignoramos o que está acontecendo. A passagem ao ato é da mesma ordem. São formações psíquicas, retornos do objeto pulsional que, mesmo sendo interno, aparece ao sujeito como vindo de fora: o sujeito percebe a culpa e a dor, sob a forma mascarada de uma recaída da sua doença. Ora, justamente, por que não aplicar aqui a idéia freudiana do deslocamento da libido, que se retira da fantasia para investir a consciência? Diremos então que a fantasia masoquista se desinvestiu e reapareceu no exterior, transformada em realidade percebida como exterior. A culpa e a dor inconscientes apareceriam assim sob uma forma exterior e disfarçada. A reação terapêutica negativa seria pois o simulacro sensível desses dois afetos inconscientes.

Assim sendo, há uma máscara que a dor adota freqüentemente, muito diferente das formações clínicas patológicas: são o grito e as lágrimas. O grito e as lágrimas são os semblantes mais estreitamente ajustados, mais solidários desse objeto que é a dor inconsciente.

*

Devemos distinguir
pulsão, fantasia e perversão

Desejo agora falar de três problemas, três questões que derivam da observação seguinte: todos os objetos se relacionam, de perto ou de longe, com o gozo do Outro, mas a dor é a sua amostra mais pura, o seu produto mais homogêneo. Em outros termos, o gozo do Outro é um imenso sofrimento vivido pelo sujeito como um perigo hipotético. A simples idéia de gozar demasiadamente dá muito medo. Ora, a dor é também um sofrimento, mas parcial e reduzido ao âmbito de uma fantasia. Desse ponto de vista, a dor é, insisto, o representante mais evocador de um gozo/sofrimento inacessível. Esse paralelo levanta agora três problemas.

O primeiro problema é o do *masoquismo*. Como definimos o masoquismo? O masoquismo é uma posição de onde o sujeito mantém uma certa relação com a satisfação. Deveríamos dizer, com a satisfação sexual, e melhor ainda, com a satisfação parcial sexual. Evidentemente, "sexual" não significa "genital", mas um prazer diferente do prazer oferecido pela satisfação de uma necessidade. O masoquismo consiste nisto: o sujeito tem prazer em estar no lugar do objeto do qual o Outro goza. Caracterizamos esse Outro como um perverso superegóico. De fato, é a dupla face do supereu que age, por um lado como sádico, por outro como senhor que comanda. Ora, essa definição do masoquismo que lhes proponho pode aplicar-se a todos os casos de fantasias construídas em torno de diferentes objetos, o seio, a voz, o olhar. Cada vez que, na fantasia, o sujeito toma o lugar do objeto sendo voz, olhar, dor ou seio, ele adota uma posição masoquista. Estruturalmente falando, toda fantasia se forma graças a essa identificação do sujeito com o objeto e, por conseguinte, toda fantasia é basicamente masoquista. Assim, surge a seguinte questão: como distinguir a fantasia propriamente masoquista das outras fantasias em que o sujeito também adota uma posição masoquista? Já demos um começo de resposta, ao propor que se pense o masoquismo como uma identificação do sujeito com o objeto, sim, mas com o objeto de um Outro perverso: o sujeito goza em se oferecer à vontade do Outro.

O segundo problema é a *zona erógena*. Qual é a zona erógena que corresponde especificamente ao objeto pulsional dor? Nos *Três ensaios sobre a teoria sexual*,[32] Freud propõe situá-la no nível da pele. Quanto a mim, creio que isso não basta. Seria necessário dizer: é a pele, mas também são os músculos, a tonicidade muscular, na medida em que a ação de bater provoca prazer, o prazer muscular de flagelar o Outro e espancá-lo. Mas, excetuando-se as duas zonas erógenas — pele e músculos — que especificam a dor, outro aspecto singulariza mais o masoquismo; são os gritos e as lágrimas. O grito, como dissemos, seria o semblante mais íntimo do objeto dor.

Falaremos do grito na próxima lição. Mas, por enquanto, devo evocar um terceiro problema. Que diferença há entre o masoquismo tal como o definimos e reconhecemos na fantasia — ser o objeto do qual o Outro goza —, que diferença há entre o masoquismo fantasístico e o masoquismo propriamente perverso? Pois, como indicamos na última sessão, pulsão e fantasia não são perversão. *A perversão não é a fantasia.* Que distinção estabelecer entre a dor fantasística em todas as suas formas clínicas e a dor perversa?

Há um mal-entendido fundamental sobre a perversão. Acredita-se, em razão de uma descrição apressada dos comportamentos perversos, que a perversão só existe com a condição de que haja o Outro. Não se imagina um perverso sem parceiro. Ora, do ponto de vista da *estrutura*, deve-se pensar o contrário, isto é, que outrem, no cenário do ato perverso, só é importante na medida em que ele é o suporte de uma forma. Ele só vale porque é provido de um corpo que tem uma figura precisa, visual ou auditiva, e porque encarna uma silhueta que pode ser deslocada no espaço, e sobre a qual se podem praticar manipulações. O mundo perverso é um mundo sem outrem, ou antes um mundo em que outrem se reduz ao papel de figurante sem alma, a serviço de um diretor de teatro. O mundo perverso é um mundo sem vida, povoado de mímicos e de manequins inertes, cheio de máscaras e vestimentas, de movimentos e de fixações. Em suma, é um universo teatral, onde dominam as formas e seus encadeamentos. Se quisermos traduzir na nossa terminologia analítica essa presença fria e regulada da perversão, diremos: a perversão é o universo em que domina a repetição; e a ação perversa é um comportamento bizarro para dominar a repetição. Às vezes, o manequim é o masoquista que obedece às indicações do perverso sádico, às vezes é o contrário, o manequim é o sádico que segue as indicações do perverso masoquista.

Compreendemos agora por que o masoquista não é propriamente um escravo, mas um senhor, um senhor que fabrica formas e semblantes da dor. O perverso é o mestre do semblante; ele discerne e destaca o semblante, o fetichiza e se apropria dele. Eis os três momentos da operação perversa: destacamento do semblante do vivido do parceiro, fetichização e apropriação. Ora, o semblante que o masoquista domina excelentemente é o grito. O perverso é aquele que consegue dissociar o semblante do gozo, ou melhor, aquele que consegue dissociar o semblante do gozo parcial-dor, ou antes do objeto pulsão-dor. Em outros termos, o perverso é perfeito na arte do semblante, é um mestre do grito.

A fantasia masoquista é exatamente o oposto. Enquanto que, no mundo perverso, o Outro é absolutamente lançado para fora, na fantasia masoquista o Outro é absolutamente assimilado. Ele está tão presente, tão incluído, tão absorvido pelo eu que este se identifica com ele. Outrem dá substância à fantasia. Enquanto o perverso separa o semblante do gozo, o neurótico, ao contrário, mistura na sua fantasia semblante e gozo. Se o mundo da perversão é — como dissemos — o mundo da repetição e do código congelado das formas, o da fantasia é o mundo do possível: tudo é possível na fantasia, pois o sujeito faz com que o Outro represente, e ele próprio representa, todos os papéis imaginários. Essa é exatamente a idéia que se deve ter clinicamente da fantasia. Quando trabalhamos com um paciente e pensamos na fantasia, devemos supor que o sujeito está por toda a parte e toma todas as posições possíveis.

*

Desejo falar agora do grito e propor esta fórmula: o grito é o semblante da dor. Mas, antes de ser máscara, o grito é uma demanda, um apelo, o apelo mais primário e primitivo, o mais inarticulado. O grito já é um enunciado, sim, mas um enunciado ultracondensado, quase uma interjeição. Perguntei recentemente a um lingüista se considerava o grito como uma interjeição. Respondeu-me que alguns dos seus colegas o consideram realmente assim, e que outros o julgam ainda mais elementar do que uma interjeição. Do ponto de vista econômico, Freud considera o grito como uma descarga, a descarga de um excedente de energia. Existindo um alto nível de excitação (que não é outro senão a dor), o grito é uma dissipação de energia. Mas essa descarga tem ainda uma função secundária. O grito é um apelo dirigido a dois destinatários: primeiro ao Outro e depois a si mesmo. Vamos deter-nos aqui, pois o grito será o tema da próxima lição.

*

☐ *Existe uma relação entre a percepção direta para o exterior e a imagem?*

Há duas maneiras de responder. A sua pergunta é muito oportuna, porque me permite refinar a lógica das formações do objeto. Minha primeira resposta se apóia no texto de Freud que acabamos de comentar, e no qual ele explica que uma percepção endopsíquica pode tornar-se percepção para fora. Poderíamos pensar que o novo investimento da percepção consciente é uma tomada demasiadamente imediata do objeto exterior. Como se faltasse o intermediário de uma imagem. Para responder melhor, deveríamos examinar a relação entre percepção consciente, representação de objeto, percepção endopsíquica e imagem. Freud, na época, não se preocupava com imagens; a única imagem importante para ele era o eu ideal. E o eu ideal era o eu para o qual a libido recuava.

A segunda resposta, que me parece mais correta e mais completa, se apóia no esquema ótico de Lacan. Seria necessário precisar que, no caso da alucinação, do delírio ou da reação terapêutica negativa, há o desaparecimento da imagem virtual. Mais exatamente, há dissociação entre a imagem virtual e o objeto do qual essa imagem é o reflexo. Normalmente, na fantasia sadomasoquista, tal como a descrevemos, o Outro está absolutamente incluído, absorvido pelo sujeito, e o sujeito pelo objeto. Ora, essa absorção do Outro se realiza graças à imagem virtual que ele me remete, e particularmente através do buraco da imagem virtual. Que buraco? O que Lacan chama de (- φ) ou "falo imaginário". É pois por intermédio da imagem remetida pelo Outro e do buraco nessa imagem, que eu me aproprio dele. De fato, só há fantasia com uma condição: a dimensão imaginária. Em outros termos, vemos bem que, quando falamos de imaginário, não se trata simplesmente de imagem, mas de uma imagem esburacada, esburacada pelo falo imaginário, isto é, com uma parte a menos. O que está a menos em uma imagem, quero dizer, o que é que não se reflete nela, a não ser a libido que carrega a imagem? Com efeito, a libido, como energia, não pode ter imagem. Ela não é especularizável.

Quando a fantasia masoquista toma a forma da reação terapêutica negativa, é percebida sem a mediação de uma imagem virtual. Para retomar o seu adjetivo "direta", haveria, efetivamente, como que uma espécie de "percepção direta" do objeto exterior, que constituiria a operação capital das formações do objeto. Em outras palavras, a formação do objeto, ao contrário da fantasia, é desprovida de imagem virtual e de imagem fálica. Na passagem ao ato, não há mediação imaginária, como também não há na alucinação, nem na reação terapêutica negativa. Logo, admito que não há imaginário; mas, entenda-se, não há, principalmente, imagem virtual esburacada, pois o que importa na imagem não é a própria imagem, mas que ela seja esburacada. Se não, ela não é imagem sexualizada. Por que enfatizar esse ponto? Porque afirmar que uma imagem é esburacada significa que ela é a superfície constitutiva de uma fantasia sexual. Se não houvesse (- φ), se o Outro fosse uma imagem plena, sem furo, o roteiro da fantasia não seria sexualizado, e, para falar em termos freudianos, não haveria libido. Psicanaliticamente falando, a imagem só nos interessa na medida em que ela é carregada de libido, isto é, sexualizada e esburacada.

*

□ *Resposta a um clínico que pede esclarecimentos sobre um sonho de um paciente*

É difícil analisar publicamente um sonho singular. Quando o analista escuta o paciente contar um sonho, pode ter a sensação de que o seu pensamento lhe vem de fora. Ouço um sonho e é uma voz vinda de outro lugar que enuncia o meu pensamento, como se ele fosse dito em voz alta por outra pessoa. O seu paciente contava um sonho, descrevendo uma cena. Mas, ao escutá-lo, você mesmo, naquele momento, estava refazendo essa cena, como a está refazendo agora, ao fazer a sua pergunta, e como todos nós refazemos inevitavelmente, quando nos lembramos dos nossos sonhos. Todos nós reescrevemos os nossos sonhos. Sem entrar nos detalhes do relato que você traz, farei uma observação. Saibam, antes de mais nada, que estamos em uma situação pública e não durante uma supervisão. Se fosse esse o caso, minhas intervenções dependeriam da transferência estabelecida com o analista que me contaria o sonho do seu analisando.

Minha primeira observação suscitada por esse sonho se refere ao masoquismo erógeno primário e à sua relação com o psicanalista. Explico. Vamos tomar uma fórmula lacaniana na qual insistimos muito, "o analista está no lugar do semblante do objeto", e vamos pensar no nosso objetivo desta noite. Em uma primeira abordagem, deduziremos que, se o analista conseguisse colocar-se no lugar do objeto, poderia adotar uma posição masoquista. Não estou dizendo que na relação analítica um é masoquista e o outro sádico. Afirmo simplesmente que a posição adotada pelo analista no seio da transferência é uma posição de objeto e, por conseguinte, de objeto do qual o Outro goza. Mas, ao contrário do masoquista perverso, o analista está em um semblante que lhe escapa. No outro dia, aqui, quando falávamos do sorriso do psicanalista, dissemos que o importante era considerar esse sorriso como a ressonância nele da palavra do seu analisando. É essa palavra que conduz o clínico a se posicionar desta ou daquela maneira. É ela que faz com que o analista se introduza ou não sob a máscara viva do sorriso. Quando o analista está silencioso ou sorri, isto é, quando adota a posição de semblante, não se trata, para ele, de fazer semblante — como seria o caso do histérico — nem de dominar o semblante — como seria o caso do perverso; não, o analista *sofre* o semblante que se impõe a ele. Presta-se a ele. Entra no semblante como em uma cinta, assumindo a forma do objeto.

Isso me leva a uma última consideração sobre o aspecto masoquista do trabalho do psicanalista, em forma de interrogação: qual é a minha satisfação no trabalho que faço? Por que essa pergunta? Assumo, sem saber, o lugar do semblante do objeto, mas nunca o lugar do próprio objeto. Ser o objeto em si, nunca serei enquanto eu for um ser humano. E isso pela simples razão de que tornar-se objeto equivaleria a fazer-se tão inerte quanto o mármore. A pergunta que o psicanalista deveria fazer freqüentemente — porque isso lhe permitiria intervir melhor, e instalar-se melhor na transferência — é: qual é a minha parte de satisfação na ação em que me empenho e que me empenha?

Há uma citação de Freud que vem agora na hora certa.[33] Ela é impressionante. Freud está preocupado em saber qual é a função do eu na sua relação com o isso e com a realidade. Assim, é levado a comparar a função do eu à do psicanalista. Eis o que ele escreve: "O eu se recomenda ao isso como objeto de libido..." Podemos substituir "eu" por "analista" e dizer: "O eu [o analista, pois] se recomenda ao isso como objeto de libido, tentando derivar para ele a sua libido. Ele não é somente o assistente do isso, mas é também o criado obsequioso que solicita o amor do seu patrão. Tenta, se possível, entender-se bem com o isso. Acalenta a ilusão de que o isso obedece às advertências da realidade. Mascara o conflito do isso com a realidade, e na sua posição intermediária entre isso e realidade ele é por muitas vezes submetido à tentação de tornar-se complacente, oportunista e mentiroso, um pouco como um político cujas posições fossem justas, mas que desejasse conquistar os favores da opinião pública." É extraordinário porque, efetivamente, o analista pode, em certas circunstâncias, deixar-se tentar e, a exemplo do eu, tornar-se mentiroso, oportunista e complacente.

Vamos terminar, retomando o tema do masoquismo a partir dessa citação de Freud. Ele continua: "O eu [para nós, o analista] se põe entre as duas espécies de pulsões [pulsões de vida e de morte], mas a sua posição não é imparcial. Por seu trabalho de identificação e de sublimação, ele presta assistência às pulsões de morte no isso para o domínio da libido." Depois, retoma o que lemos acima: "o eu [o analista] é o assistente do isso. Mas ele corre o risco de tornar-se objeto das pulsões de morte e ele próprio perecer. Para fins dessa ação de assistência, ele próprio teve que encher-se de libido. Ele se torna assim representante de Eros e quer, a partir de então, viver e ser amado." E termina prevenindo: "Mas como o seu trabalho de sublimação tem por conseqüência uma desunião pulsional e uma liberação das pulsões de agressão no supereu, ele [o eu ou o analista] se expõe, pelo seu combate contra a libido, aos perigos das sevícias e da morte." Devemos admitir que essas linhas consagradas ao eu evocam eminentemente a ação do psicanalista, as suas alegrias e tristezas, e as lutas e tentações às quais ele fica exposto.

Lição III
A Dor e o grito

Freud considerava a dor como um enigma. Eis o que ele declarou durante uma reunião da Sociedade Psicanalítica de Viena[34] em 1910, depois de uma exposição sobre o masoquismo: "Uma fonte da explicação insuficiente da derivação do sadismo e do masoquismo é a nossa ignorância relativa à natureza da dor em geral, com seus fatores determinantes meio psíquicos e meio fisiológicos. A dor tem um caráter enigmático." O próprio Freud se chocou pois com esse mistério, que por nossa vez formularemos assim: o que é essa dor inassimilável, vivida como se ela não fosse nossa, e na qual entretanto se condensa o que somos e o que temos de mais íntimo? E depois, o que é uma dor que não seria reconhecida por aquele que sofre? Como se pode dizer, a respeito de uma dor, que ela é inconsciente?

Estamos diante de uma dupla dificuldade: por um lado, tornar essas questões transmissíveis, isto é, enunciá-las de tal maneira que elas consigam nos tocar pessoalmente, sem ficar como considerações demasiado abstratas. E, por outro lado, compreender como o psicanalista pode apreender no seu trabalho um objeto — a dor — que se esquiva aos sentidos e ao pensamento. Talvez devamos utilizar primeiro os conceitos e, sem hesitar, esquecê-los imediatamente. É bem assim que vamos proceder nesta sessão. Vamos pois trabalhar a teoria, mas tentaremos depois apreender a dor de outra forma que não os conceitos.

A essência da dor íntima, não poderíamos descobri-la de modo imediato nem em teoria, nem mesmo com nossos pacientes; ela nunca se apresenta sob uma forma manifesta. Poderíamos atingi-la, antes, operando de uma maneira particular, aquela que Freud aconselhava a Lou Andréas Salomé, em uma carta de 25 de maio de 1916: "Sei que, quando escrevo, devo cegar-me artificialmente para poder concentrar toda a luz em um ponto escuro." Frase notável, que poderíamos traduzir assim: para ver claro, façam o escuro à sua volta. Ou ainda: a essência da dor nos é invisível; vamos forçar então o paradoxo até o fim, e deixemo-nos conduzir por aquilo que jaz no fundo da dor: o grito.

*

O grito é uma descarga motora

O grito está tão intimamente ligado à dor que a maioria dos adjetivos que a qualificam pertencem ao registro do espaço sonoro: fala-se de um "grito agudo" e de uma "dor aguda", de "grito lancinante" e de "dor lancinante". Mas o que é um grito? Estamos tão certos de que o grito seja apenas um som? Vamos encontrar aqui a mesma dificuldade que tivemos para abordar a dor, e ficamos diante de um outro paradoxo, que marcará o limite da nossa reflexão.

Vamos partir do que Freud nos diz sobre o grito. Trata dele principalmente no "Projeto", onde o caracteriza antes de tudo como uma descarga motora, um exutório pelo qual se dissiparia o aumento, que se tornou intolerável, das excitações, ou seja: um exutório da dor. Mas vamos ultrapassar essa idéia segundo a qual o grito seria uma simples descarga motora, e vamos indagar: por que não imaginar o grito como um fluxo de energia jorrando do buraco da boca, considerada como um anel erógeno? Se admitimos que a boca é um orifício pulsional, podemos pensar que o fluxo energético que a atravessa no seu centro é uma força definida em relação a um outro fluxo, a uma outra força que percorre os lábios. Em outros termos, haveria uma relação entre a energia que passa pelo centro do buraco e a que circula sobre as suas bordas. Essa relação entre o grito e as bordas erógenas da boca, entre o fluxo jorrando do buraco e o fluxo circulando nas bordas do buraco, entre superfície (isto é, o vazio do buraco), e a borda orificial, essa relação é estabelecida na física eletromagnética pelo teorema de Stockes.[35] Com base nesse teorema, podemos concluir que o fluxo que atravessa o buraco é igual ao que percorre as bordas do buraco. Assim, haveria uma equivalência entre a energia do grito e o prazer sexual dos lábios erógenos.

*

O grito é uma ação que modifica o ambiente

Mas voltemos a Freud. Depois de postular que o grito é uma descarga motora, ele precisa imediatamente que essa definição pertence apenas ao registro da ficção. De fato, se pensássemos que o grito fosse um exutório da dor, isso significaria que toda dor poderia se resolver com um grito: bastaria gritar para não sofrer mais! Ora, Freud sublinha bem que a descarga motora não resolve a tensão. E depois, acrescenta ele, se por um lado pusermos esse grito na boca de um lactente e, do outro lado, pusermos a mãe, com o grito entre os dois, introduzimos o princípio de realidade. Em que consiste esse princípio? Sua função é transformar a descarga motora em energia orientada, em um indício de realidade, que permitirá à criança situar-se no seu ambiente. O lactente grita para modificar o seu ambiente, para obter assim a satisfação da sua necessidade. Assim, o grito não é mais uma descarga, pois cumpre uma função útil e toma um sentido definido. Freud chama de "ação específica" a essa modificação apropriada do ambiente, assim como todos os meios empregados pelo lactente para conseguir essa modificação e reduzir as suas tensões internas. O *grito-descarga* se transforma então em *grito-ação específica*. É uma observação muito interessante para o nosso projeto de estudo do conceito de passagem ao ato, pois Freud nos faz considerar o grito como a primeira ação do ser falante. Neste trabalho, teremos que articular esse grito-ação com a noção de pulsão de dominação e, mais ainda, voltar a situar o grito na relação entre a pulsão de dominação e o sadismo como agressividade.

*

O grito fere os ouvidos de quem o emite e se inscreve em sua memória

Mas em que consiste a especificidade dessa emissão que é o grito? Ela é dupla. Por um lado, o grito é um chamamento ao Outro, um apelo lançado à pessoa que pode prestar socorro; voltaremos a essa dupla função de apelo no fim desta lição. E, por outro lado, o grito é um som percebido também pelo próprio emissor. Assim, o grito vai até o Outro, mas, como som, volta para os ouvidos de quem o proferiu.

Inicialmente, vamos nos interessar pelo grito-som que volta para nós, antes de tratá-lo como um apelo ao Outro. Como descarga sonora, o grito volta pois para o emissor como um eco inédito que se inscreve, sem que o emissor saiba, no sistema dos neurônios da lembrança (neurônios "psi"). Aquele que dá um grito o recebe de volta e o inscreve em sua memória. Mas o grito é memória de quê? Deixemos de lado essa pergunta por um instante, e abordemos agora a função de "marcador" do grito. O som proferido por aquele que sofre representa não só a sua dor, mas confere ao agente, causa do ferimento, o seu caráter de elemento perigoso e agressivo. O grito faz mais do que representar a dor e o agente que a provoca, ele assinala os caracteres intoleráveis de uma e nocivos do outro. Isso mostra bem que a essência da dor se realiza em um grito. O grito seria, pois, não só o semblante da dor, mas a substância sonora que dá à dor a sua consistência de afeto penoso. Eis que se abre uma imensa questão! Veremos que Freud vai ainda mais longe e dá um salto suplementar, que seguiremos.

Mas vamos ficar ainda por um momento no ponto em que estamos. Digo que é uma imensa abertura pensar que, mais do que representar, o grito encarna a dor, comunica-lhe a sua natureza de afeto inaceitável, a mantém e a funda. Isso nos leva à nossa tese da última lição, segundo a qual o grito é o semblante da dor. Eu havia estabelecido uma relação entre o grito como semblante da dor e o roteiro perverso no masoquismo. Até definimos o masoquista como um mestre do semblante-grito, como alguém que sabe gritar muito bem. A esse respeito, associo a noção lacaniana de semblante com os "simulacros" de Lucrécio. No *De natura rerum*,[36] ele toma o conceito de simulacro do seu mestre Epicuro. Recomendo-lhes esse livro. Verão que ele é absolutamente apaixonante no plano teórico, sem dúvida, mas não apenas isso. Leiam pois essas páginas de Lucrécio sobre o simulacro e depois vão trabalhar, tomem o seu lugar na poltrona e escutem os seus pacientes...

O que nos diz Lucrécio? Que os simulacros são emanações bizarras dos objetos, espécies de leves membranas, destacadas da superfície dos corpos, que flutuam no ar e esvoaçam em todos os sentidos. Acrescenta que essas membranas são às vezes imagens, e às vezes não; são às vezes visíveis, mas nem sempre. Imagens freqüentemente impalpáveis, exalações estranhas e, principalmente, irradiações rápidas que nascem, difundem-se e morrem muito depressa. Esse texto de Lucrécio mereceria que consagrássemos todo um seminário ao conceito tão importante de "semblante" na obra de Lacan, comparando-o à noção epicurista de "simulacros". Esse seminário poderia inspirar-se nessa idéia que já se delineia em Lucrécio: uma relação causal, quase física, entre a coisa e seu semblante, entre a dor e o grito.

*

*O grito é uma emanação da dor,
mas também o sopro que a atiça*

Mas voltemos à nossa hipótese de há pouco: pensar que o grito não é apenas um representante simbólico da dor, mas marca a dor e o agente que a provoca com o seu caráter mau e nocivo. Aqui, Freud dá um salto no pensamento. Ele nos diz primeiro que o grito é um representante da dor, depois que ele imprime à dor a sua tonalidade penosa, e principalmente — é aqui que ele dá o salto — que o grito é capaz de despertar a dor. Até agora, dizíamos o contrário: que a dor produz o grito; agora dizemos que o grito produz a dor. Como? É aqui que podemos responder à nossa pergunta: o grito é memória de quê? A exemplo da campainha de Pavlov, capaz por si só de despertar a fome e fazer o cão salivar, o grito é igualmente capaz de despertar a dor, assim como o medo de ver reaparecer a causa da agressão. Uma vez emitido, o grito fica na memória associado ao agente nocivo e à dor sofrida. A partir de então, cada vez que um uivo seco fere os ouvidos do sujeito, seja um grito proferido por um outro ou um novo grito proferido por ele mesmo, a dor reaparece como uma lembrança na carne. Ouvindo o uivo, o sujeito pode sentir uma dor física inexplicável. O grito não é pois apenas uma figura da dor, ele pode ser também, porque é memória, uma excitação que faz nascer uma sensação dolorosa sem causa orgânica detectável; como se essa sensação fosse uma dor alucinada. O encadeamento do nosso raciocínio seria este: o grito reflete a dor, o grito refrata a dor, e depois o grito desencadeia a dor. Ele a mostra, a marca e a engendra como uma produção alucinada.

Lendo essas páginas de Freud à luz do que Lacan nos ensinou, reconhecemos claramente duas articulações importantes. A primeira é a seguinte: a relação entre o grito e a dor alucinada é um exemplo acabado da relação fundada entre o significante e o afeto. O lacanismo foi muito acusado pela sua tendência intelectualista para o significante, em detrimento do afeto. Mas basta ler Freud com essa acusação em mente para constatar que ele próprio se encarrega de responder. Não se trata de uma interpretação minha; ela está com todas as letras nos escritos freudianos. De fato, a definição psicanalítica do afeto retoma a concepção darwiniana. Foi Darwin quem sussurrou aos ouvidos de Freud a tese de que todo afeto é uma repetição, a repetição de um acontecimento traumático muito antigo. A esse título, o afeto vivido hoje é a reminiscência de uma experiência passada, mais exatamente o símbolo de um trauma originário. O afeto é pois um símbolo, ou melhor, um significante. Por quê? Porque ele é reprodutível.

Nossa idéia de que o grito é gerador de uma dor alucinada ilustra claramente um princípio muito lacaniano, a saber que o significante "dá lugar". Com efeito, não basta dizer que um significante representa o sujeito para um outro significante, nem que o significante é diferente dos outros significantes que compõem o sistema; não basta dizer que um significante só é significante para outros significantes, ainda é preciso dizer que o significante é o que dá lugar e cria o lugar. Assim, a relação entre o significante e o afeto é que *o significante faz o afeto, e cria o lugar do afeto*. Esse é um princípio incontestavelmente lacaniano.

O segundo paralelo que estabelecemos entre Lacan e o "Projeto" remete ao trecho em que Freud diz que o grito, uma vez emitido como som, é gravado na memória, associando-se à sensação dolorosa que o sujeito está experimentando, e à percepção do agente que provoca a lesão. Emito o grito, eu o ouço, e ele se inscreve na minha memória, levando para si a dor e sua causa. Freud observa, aliás, que o mesmo fenômeno se produz com a linguagem. As palavras ouvidas são os intermediários necessários para que o pensamento continue sendo, graças à memória da linguagem, um processo constantemente ativo. Se não houvesse produções verbais no espaço sonoro, não haveria vestígio do pensamento, e conseqüentemente não haveria raciocínio possível.

Essa materialidade sonora da linguagem, que a torna apta a inscrever-se na nossa memória e a preservar o dinamismo do pensamento, evoca para mim a concepção lacaniana da linguagem, não como sistema simbólico, mas como órgão físico e real. Vou explicar. Quando Deleuze e Guattari lançaram a tese de Artaud do "corpo sem órgão", Lacan replicou que o psicótico não era desprovido de órgão, já que possuía um, fundamental, um órgão com o qual ele coabita e com o qual coabitamos todos: a linguagem. Existe aí uma torção conceitual, uma mudança de perspectiva. Consideramos habitualmente a linguagem como uma estrutura simbólica. E isso é absolutamente exato, sem contestação. Como rede composta de elementos diferentes, obedecendo a uma lógica precisa, a linguagem pertence, com efeito, à ordem simbólica. Mas ela não é exclusivamente simbólica, é também real, um real que esvoaça à nossa volta, como escreveu Lucrécio a respeito dos simulacros. Digo mais: é um real que adeja constantemente na sessão de análise, no consultório analítico. A linguagem é pois um órgão, não no sentido instrumental de uma ferramenta eficaz — como acredita Chomsky — mas um órgão que prolonga e estende o corpo.

Quando pronuncio essa frase, vem imediatamente ao meu espírito o mito da lâmina, da libido como lâmina. Uma libido que se solta do corpo como uma emanação de sua força vital e vai além dos seus limites. Ao invés de situar a linguagem apenas na sua dimensão simbólica, convém concebê-la também na sua dimensão real de órgão sonoro que multiplica o nosso corpo. Se sublinho esse aspecto real da linguagem, é para mostrar bem que ela é não só matéria emitida pelo sujeito, mas também é armazenável na sua memória. É isso que tínhamos a dizer sobre o grito como entidade física, sonora e armazenável.

*

O grito é um apelo ao Outro

Vamos abordar agora o grito como um apelo ao Outro. Para começar, prefiro ler uma frase de Freud, muito importante para nós hoje. Ela é tirada do "Projeto".[37] Ele fala do grito e termina o parágrafo assim: "A via de descarga [isto é, o grito] adquire assim uma função secundária de extrema importância: a de *compreensão mútua*." O grito-descarga é pois afetado de uma função secundária, a de favorecer a compreensão mútua entre o lactente e sua mãe. E Freud prossegue com esta outra proposição mais difícil: "A impotência original do ser humano se torna assim *a fonte primeira de todos os motivos morais*." Mas o que é um grito, senão a expressão mais fiel da nossa impotência? Nossos gritos sempre uivam a nossa ira por estarmos submetidos aos nossos limites e a nossa fraqueza para superá-los. Assim, podemos dizer que, se o grito exprime a impotência original do ser humano, também exprime a fonte primeira de todos os motivos morais. Mas, perguntamos, quais são esses motivos morais? Na psicanálise, eles têm um nome preciso: o supereu. Pois bem, a fonte do supereu é a impotência e o grito que a encarna. Por quê? Porque essa demanda nativa, a mais inarticulada de todas as queixas, essa interjeição que é o grito, esse enunciado ultra-reduzido, em suma esse apelo com o qual o lactente clama a sua impotência, atinge o Outro, a mãe, e suscita em retorno uma intervenção de socorro. Que tipo de intervenção? Primeiro, a que consiste em interpretar o grito da criança e dar-lhe um sentido, e depois, principalmente, em nomear, em lugar da criança, aquilo que o seu grito designa. Assim, o grito inarticulado do lactente se transforma, graças à voz articulada do Outro, em uma palavra. Uma palavra recebida pela criança como uma voz imperiosa, que se tornará depois a voz interior do seu supereu. O grito para o Outro se torna assim o grito interior do supereu. Lembrem-se da insistência de Freud em sublinhar a origem acústica do supereu. Com o grito, estamos na própria raiz do supereu. O nascimento do supereu só é possível no seio da relação com outrem, qualificada por Freud de compreensão mútua. Uma compreensão de fato muito limitada, pois a criança só se comunica com um aspecto apenas do Outro. Vou explicar.

De fato, o Outro se apresenta à criança de dois modos diferentes: como ser acessível e familiar, mas também como desconhecido e impenetrável. Devo lembrar aqui a noção freudiana de "complexo perceptivo de outrem". Segundo essa noção, a mãe ou o adulto tutelar se oferece aos olhos do lactente como um próximo que vive, muda e se desloca, e por outro lado, como aquele que, apesar dos seus vaivéns, continua sempre o mesmo inalterável. O complexo perceptual comporta pois duas partes: uma em que outrem é mudança, e outra em que ele é estável e imutável. O Outro que se transforma se apresenta como o próximo cujos traços me remetem aos meus próprios traços, os gestos aos meus próprios gestos, e assim por diante, em uma interminável ida e volta. Há nessas remissões permanentes todo um trabalho de rememoração, pois os seus gestos me lembram os meus, e quando lhe acontece encolerizar-se, seus gritos me lembram os meus próprios gritos, que me fazem reviver as minhas primeiras experiências dolorosas. É precisamente nesse confronto com a face cambiante da mãe que Freud situa não só o nascimento do supereu, mas também e principalmente a origem do julgamento.

*

O grito é um apelo ao silêncio do vazio

> "*O próximo é a iminência intolerável do gozo.*"
> Jacques Lacan

Entretanto, nosso interesse se refere igualmente à outra fração do *complexo perceptivo do próximo*, isto é, à face imutável e desconhecida do Outro. Este se oferece então não mais como um ser semelhante e humano, mas como uma Coisa inacessível — *das Ding* — essa Coisa de que Lacan tanto falou. A Coisa é a parte não assimilável do Outro, sua presença estranha e invariável. Esse é o ponto mais importante da minha intervenção desta noite. É aqui, entre as duas frações do complexo do próximo, entre a percepção do Outro como um duplo que me ajuda a me reconhecer, e a sua percepção como Coisa absoluta e impenetrável, que o grito se instala.

O grito retoma essas duas frações do Outro sob a forma de um grito de dupla face. Uma, que estabelecemos há pouco, e que admitimos mais facilmente: a criança grita e a mãe responde, a mãe grita e a criança se lembra dos seus gritos e das suas dores. Mas a outra face do grito, a que corresponde à segunda fração do complexo do próximo, não é mais comunicação com o Outro, mas apelo à Coisa, clarão que a revela. Basta um grito intenso e visceral para que se erga diante de nós, no centro do laço com a mãe, a imensidão silenciosa de *das Ding*, a Coisa absoluta e inassimilável. Essa Coisa exterior a mim é entretanto o que tenho de mais central e íntimo. Eu deveria dizer o que *nós* temos de mais central e íntimo, pois a Coisa não é nada mais do que um vazio absoluto, impessoal e comum aos dois parceiros do laço de amor e desejo. Lacan inventa um neologismo, "extimidade", para nomear a Coisa, ao mesmo tempo exterior e íntima. Mas essa Coisa não ressoa nem vibra, ela é silêncio, puro silêncio: eu grito, ele grita, e é o silêncio da Coisa que jorra e se impõe.

Partimos da seguinte interrogação: como conceber uma dor que não se sente? Como vemos, não se trata da dor física nem da dor da fantasia sadomasoquista que estudamos na última vez; também não se trata de diversas formas clínicas que essa dor adota, tal como a reação terapêutica negativa. Agora, desejo ir mais longe, forçar o paradoxo até o ponto em que o fio vai se romper. Tratamos o grito como descarga motora; ali, estávamos em solo firme. Depois, o definimos como um grito de apelo e posteriormente como um som inscrito na memória. Mas agora, estamos diante de um novo limiar a atravessar, diante de um campo totalmente diferente: um grito que chama a Coisa e faz surgir o silêncio. Operamos uma torção e encontramos um paradoxo: um grito que engendra o silêncio, e uma dor que não se sente.

Mas como tornar manifesto um grito que impõe o silêncio? Como visualizar esse fragmento de real? Pois bem, precisamos de um grito pintado, da pintura de um grito. Trago esta noite o quadro de um grito. Há apenas um pintor, e quase diria apenas um quadro, que me deu o sentimento de estar diante do grito que eu procurava. É o quadro de um artista célebre hoje, Francis Bacon. Esse quadro foi pintado em 1949, segundo o retrato do papa Inocêncio X, realizado em 1650 por Velasquez quando de uma viagem que fez à Itália. Essa tela de Bacon, intitulada *Head IV*, foi amplamente comentada em um notável livro de entrevistas entre o artista e o jornalista David Sylvester.[38] Nele, o pintor evoca a sua relação com o grito. Mas deixemos falar Bacon, antes que eu lhes diga por que esse quadro representa exatamente o que eu procurava. David Sylvester se surpreende com o fato de que o pintor tenha realizado um grito proferido pelo papa, e lhe pergunta se existe nisso uma relação com o pai. E Bacon lhe responde que nunca fez a menor analogia entre o papa e o pai, mas que sempre foi fascinado pela boca sorridente pintada por Velasquez, boca que tentara mil vezes reproduzir sem sucesso. Sente-se na resposta de Bacon como que uma mistura de lamento e modéstia, quando ele confessa ter feito uma boca disforme, porque era incapaz de pintar um sorriso ou um frêmito de alegria sobre os lábios. Depois, explica que, finalmente, quis representar uma boca que gritava, na falta de uma boca sorridente. Mas é principalmente a seqüência do depoimento que me interessa. Ele confidencia isto: "Você poderia dizer que um grito é uma imagem de horror; de fato, eu quis pintar o grito, nem tanto o horror." Se olharem bem o quadro, verão que ele dá a curiosa impressão de que nenhuma sonoridade sai dessa boca aberta, nenhum grito estridente parece estar ali. Trata-se de outra coisa. Não sentem, com algum espanto, que esse grito mudo e profundo é, na realidade, não uma expiração brutal do ar, mas uma inspiração; mais ainda, uma aspiração violenta do ar irrompendo pela cabeça, para dilacerá-la? Olhem a cabeça do personagem: é um crânio atomizado, como se o silêncio reinante nessa célula de vidro fosse absorvido de uma só vez pela boca aspirante, escancarada, desse estranho papa.

O que descrevo me foi confirmado por uma paciente. No momento, fiquei impressionado. Eu estava preparando esta lição e procurava obras que representassem um grito. A esse respeito, o próprio Bacon nos indica que, para ele, o mais belo grito figurado na pintura é o de Poussin no *Massacre dos inocentes*, que se pode admirar no museu de Chantilly. Fui ver esse quadro, mas ele não produziu em mim o mesmo efeito que o de Bacon. Tive então uma sessão com essa paciente, que tinha a particularidade de não poder conter os seus gritos, e sofria muito com isso. Esse sintoma desapareceu depois de uma gravidez. Eis a seqüência: "Você viu, disse ela, agora não grito mais, a polícia não vem mais à minha casa no meio da noite. — Como você explica isso?, perguntei. — Não sei. — Mas o que significava gritar, para você? — Gritar? Cada vez que eu gritava, sentia o grito subir para a cabeça e encher um vazio; como se eu gritasse com a cabeça toda ou, por assim dizer, como se toda a minha cabeça fosse uma boca. Não sei." Não é a melhor e mais sensível descrição desse quadro? É um grito surdo, um grito de silêncio, um grito que absorve. Não é um grito que expira, é um grito que aspira e esvazia o espaço. Ora, quando pronuncio essa palavra, "aspiração", vem ao meu espírito a concepção freudiana da dor melancólica, compreendida como uma hemorragia interna provocada por uma aspiração violenta. Freud utiliza os termos "válvula" e "bomba aspirante", para ilustrar a força que aspira e esvazia toda a libido. É justamente essa sucção poderosa do interior que é dolorosa. Esse silêncio, esse grito ilustrado por Bacon é um grito que absorve o silêncio, é um grito da mesma ordem, é uma hemorragia para dentro.

Não desejo terminar sem dizer o que significa para mim esse ato de introduzir um quadro no nosso seminário. Meu gesto visa algo mais do que uma simples ilustração de um saber teórico sobre o grito. É mais do que isso. É uma indicação da posição que o analista pode adotar diante da dor e do grito dos seus pacientes. Temos a teoria que, em minha opinião, não tem outro interesse senão fazer com que formulemos as perguntas corretas. Poderão ler mil textos; a única coisa importante é que saibam fazer a pergunta pertinente. Para mim, a relação da teoria com a prática passa por perguntas. O *savoir-faire* do analista é o saber interrogar-se. Mas aqui, estamos em outro lugar; estamos em outro registro e não no de saber fazer as boas perguntas. Certamente, trabalhamos o grito e a dor segundo uma abordagem teórica, utilizamos conceitos, fizemos as boas perguntas, como por exemplo: o que é a dor não sentida? Mas, insisto, a introdução de uma pintura em um seminário não visa ilustrar o que sabemos na teoria ou acreditamos saber. Para formações psíquicas como a dor e o grito, a reflexão e as perguntas não bastam. Não, é preciso mais alguma coisa: concentrar-se, "fazer as trevas para iluminar o ponto obscuro", polarizar-se sobre o ponto mais opaco, e então ver, isto é visualizar o real, quase aluciná-lo. Essas palavras podem parecer surpreendentes para aqueles que não têm prática com os pacientes. Mas penso que os analistas que exercem a escuta ou os analisandos que percorreram um trajeto analítico podem me compreender. Pode acontecer que esses clínicos não se satisfaçam mais, em certos momentos, com o seu saber, e sejam chamados a visualizar ou alucinar as fantasias que surgem no seio da transferência. Quando ouvi aquela paciente confidenciar-me a sua dor de gritar, confesso a minha surpresa, pois no momento exato em que tinha esse quadro na mente, ouvi a voz de alguém que o descrevia sem nunca tê-lo visto. Não posso transmitir-lhes melhor o que é o desejo do psicanalista.

*

☐ *Na sua opinião, por que o artista pintou o grito e não o horror?*

Lembre-se da réplica de Bacon. Ela é uma resposta à sua pergunta. "Você poderia dizer que um grito é uma imagem de horror. De fato, eu quis pintar o grito, nem tanto o horror." É justamente porque o pintor quis expressar o grito, mais do que o horror, que a Coisa se revela. Acho que se ele quisesse representar o horror, teria feito uma pintura figurativa do horror, e nós ficaríamos privados dessa emoção de um grito excepcional, de um grito mudo. Ele não pinta o horror, mas o grito, e faz surgir o horror sob a forma de um silêncio absorvido.

☐ *O grito é exclusivamente a expressão da dor?*

Claro que não. Todos sabemos como um grito também pode expressar a alegria e muitas outras emoções. Mas preferi me concentrar na relação do grito com a dor. Assim, a sua pergunta torna presente para mim um texto de Hegel, escrito quando ele era muito jovem. São notas de viagens. Ele dedica uma página à dor, na qual o grito é definido como a expressão absoluta da dor. A dor — acrescenta ele — que se exprime tão puramente pelo grito, pode curiosamente ser acalmada por um outro grito. Toma o exemplo das carpideiras, que cantam nos funerais a dor de ter perdido o ser amado, e pergunta como explicar que esse canto, que afinal não é nada mais do que um grito sublimado, possa ser um bálsamo para o sofrimento. Ora, tive a idéia, ao ler essas notas, de que deve existir uma relação de ritmo entre a dor muda sentida pela pessoa enlutada e a lamentação de um outro que lhe dá voz. Penso que é essa concordância rítmica que exorciza a dor. Dissemos que o grito representa a dor, depois, que ele faz mais do que representá-la, ele lhe dá substância, e enfim que ele é capaz de engendrar uma dor alucinada. E eis que, graças às carpideiras, descobrimos que o grito também pode acalmar a dor.

☐ *O grito poderia ter uma função terapêutica?*

Tomarei o exemplo do autismo, em que efetivamente podem-se levantar dois problemas. Primeiro, a função que o grito teria no tratamento do autista. Atenção! Não estou dizendo que é preciso fazer as crianças autistas gritarem! Indago prudentemente a função do grito na ótica das palavras articuladas. Efetivamente, com bastante ingenuidade, poderíamos imaginar que a criança autista, que não articula nenhuma palavra, deveria começar por gritar, como todos nós, que entramos na vida com um grito. Minha segunda observação se refere ao problema da relação da boca com o grito no autista, ou antes da relação da boca com as palavras. Durante uma supervisão, enquanto o analista me citava algumas sílabas que uma criança autista conseguia pronunciar, tive a idéia de que, afinal, não se devia procurar que ela pronunciasse palavras, mas antes dispor-se, como terapeuta, a ver surgir na criança certos ruídos, certos fonemas, que constituem uma boca para ela. Suponho que um som nascente desenhe a boca, crie uma boca. Não é a boca que se presta ao som, é o som que cava a boca e a modela. Lembrem-se de nossas palavras de agora há pouco sobre a relação do grito como fluxo, e do fluxo em torno dos lábios. Seria necessário estudar, a respeito do autista, essa relação entre o som e a boca, entre o grito, os fonemas e as bordas erógenas da boca. Por que não pensar que, finalmente, no autista, seria necessário criar uma zona erógena onde ela não existe?

Volto ao que dizíamos a respeito do quadro de Bacon, em que a boca parece não ter terceira dimensão. Pois bem, é exatamente a idéia que deveríamos ter da boca de uma criança autista. Incitá-la a emitir sons para criar o oco erógeno de uma boca com bordas.

Lição IV
A Dor do luto

Esta noite, desejo abordar o tema da dor do luto. Essa forma de dor é, como todas as outras, um enigma persistente. Eis as duas citações com as quais quero abrir a nossa lição. A primeira é tirada de "Luto e melancolia" — texto que será a nossa referência principal. Falando do trabalho do luto, Freud pergunta: "Por que essa atividade de compromisso, em que se cumpre detalhadamente o comando da realidade, é tão extraordinariamente dolorosa?"[39] Seis anos depois, lemos quase a mesma frase em *Inibição, sintoma e angústia*:[40] "Havia no luto de que tratamos antes um traço que ficou completamente impenetrável para nós, isto é, o seu caráter particularmente doloroso." Ao passo que — acrescentarei — nos parece óbvio que a separação do objeto amado é dolorosa.

Luto normal e luto patológico

Esta é a nossa interrogação de hoje: como explicar que o luto seja tão penoso e doloroso? Certamente não esgotaremos essa questão, mas vamos tentar responder. O que é o luto? É a reação à perda de um objeto de amor. Nessa curta frase, encontram-se condensados os dois grandes eixos do luto, que distinguiremos esta noite. O primeiro diz respeito ao próprio objeto do luto. Qual é esse objeto de amor, cuja perda faz sofrer? E, segundo eixo, de que natureza é a reação a essa perda? Em que consiste o processo do luto?

Vamos começar pelo objeto. É a propósito da natureza do objeto, precisamente, que Freud distingue o luto normal do luto patológico, ou ainda o luto normal da melancolia. Vamos estabelecer as diferenças entre eles, mas saibam que depois esqueceremos essa distinção. Primeiro, porque o próprio Freud, durante a sua elaboração, abandona a diferença que estabelecera. Depois, se nos reportamos a Melanie Klein, por exemplo, constatamos que ela considera a distância entre luto patológico e luto normal como uma distinção de grau e não de estrutura. E enfim, o próprio Lacan, tratando do luto, fala algumas vezes como se se tratasse de uma única forma de luto, o luto patológico.

Assim, quais são as diferenças que Freud formula em um primeiro tempo? Ele diz: "Enquanto no luto normal a perda é consciente, no luto patológico essa perda é radicalmente inconsciente. O melancólico pode saber *quem* perdeu, mas não sabe *o que* perdeu na pessoa desaparecida". Vamos observar imediatamente que toda a problemática do objeto "a" pequeno está contida nessas frases. Sabemos *quem* perdemos, mas não sabemos *o que* foi perdido com o desaparecimento da pessoa do amado. Essa é uma primeira distinção que, como vemos, não basta para separar o luto normal do patológico, porque se encontra infalivelmente essa parte inconsciente em todas as formas de luto.

A segunda diferença entre luto normal e patológico é baseada em uma constatação clínica. Sabe-se que a melancolia foi uma das primeiras doenças mentais sistematizada e tratada pela medicina. As auto-acusações do melancólico nem sempre se encontram no luto normal. A partir da constatação de que as queixas do melancólico não se dirigem ao objeto perdido, mas a si mesmo, Freud conclui pela célebre hipótese da identificação do eu melancólico com o objeto desaparecido. Aliás, é porque o melancólico se autocritica que Freud, inspirado por Abraham, conclui: "De fato, essas críticas não são verdadeiras autocríticas. Essas críticas se referem ao objeto incorporado no eu." A partir daí, propõe uma tese até agora indiscutível: o eu do melancólico incorpora o objeto perdido e se identifica com ele. Veremos depois que toda a dificuldade está na definição desse objeto amado e perdido; objeto que, aliás, está na base da noção lacaniana de objeto *a*. Entretanto, essa identificação não é igualmente um traço exclusivo da melancolia. E, por conseguinte, é delicado distinguir nitidamente entre esta e o luto normal. Na clínica, também sabemos que as auto-acusações não são específicas do melancólico. Certas depressões obsessivas são freqüentemente acompanhadas de atitudes de desprezo por si mesmo, sem que se trate, por isso, de uma psicose depressiva. A tese da identificação com o objeto perdido é pois uma tese muito geral e válida tanto para a melancolia quanto para o luto patológico ou normal.

A identificação da pessoa enlutada com o seu amado desaparecido

Mas em que consiste exatamente essa identificação? O que quer dizer "o eu se confunde com o objeto"? Essa identificação, dita narcísica, se explica por um mecanismo que interessa muito a Freud nessa época, entre 1915 e 1917; a retirada da libido para o eu. Toda a libido do amante que investia o objeto quando ele estava vivo voltaria para o seu eu depois da morte do amado. Eis o movimento subjacente à apropriação narcísica do objeto amado e desaparecido. Situo a descoberta desse mecanismo identificante entre 1915 e 1917, mas na realidade é desde 1900 que Freud se preocupa em formalizar uma lógica dos diversos modos de retirada da libido, segundo cada estrutura clínica. Seja na paranóia, seja na melancolia ou na histeria, observa-se invariavelmente uma retirada da libido. Lembrem-se de que já abordamos essa questão na nossa segunda lição, mas hoje vamos tratá-la sob um outro ângulo.

Assim, se há retirada da libido, vamos perguntar a partir de onde e para onde essa retirada se efetua. Certamente, do objeto para o eu. Mas o que é esse objeto, que dizemos amado e perdido? Vamos responder imediatamente: não se trata da pessoa do morto, mas da sua representação ou da sua imagem no meu inconsciente. Não é pois a sua pessoa como tal que recebia os meus investimentos afetivos, mas as suas representações mentais em mim. Que representações? As "representações de coisas inconscientes" relativas ao ser amado e hoje desaparecido. Então, para voltar à nossa pergunta: de que lugar provém a retirada da libido? a resposta é: a libido se retira para o eu a partir das representações de coisas do objeto amado e perdido. Amado, quer dizer eleito por uma escolha narcísica. Em outros termos, a libido se retirou das representações do objeto de amor, para reportar-se sobre uma parte muito precisa do eu, que Freud chama "prova de realidade". Podem objetar-me que a prova não é um lugar. Certamente, a prova de realidade é, antes de mais nada, uma função do eu, uma espécie de alfândega graças à qual o eu discerne as percepções internas das percepções externas. Entretanto, essa prova de realidade tem uma localização bem delimitada no eu: o sistema percepção-consciência. Remeto aqui a referências que suponho bem conhecidas, especialmente ao esquema do capítulo VII da *Interpretação dos sonhos*.[41] Nesse capítulo, Freud faz a seguinte observação: "Os objetos exteriores são percebidos pelo sistema de percepção, isto é, pela superfície de percepção do lado exterior." E acrescenta: "É a prova de realidade para o exterior." Ora, também há uma prova de realidade do lado interior. Peço-lhes pois que imaginem a casca de uma árvore com as suas duas faces, uma exterior para perceber a realidade exterior, e outra interior para perceber... o quê? Para captar "endopsiquicamente" os movimentos das pulsões, e repercuti-los na consciência sob forma de sentimentos. Já empregamos o termo "sentimento" na segunda lição, tentando detectar o "sentimento inconsciente de culpa", produzido pela percepção endopsíquica do desejo incestuoso.

Por enquanto, vamos precisar isto: a retirada da libido para o eu é, na realidade, um deslocamento no próprio seio do eu. Vemos assim como o deslocamento da libido é ínfimo. Ora, é justamente por ocasião desses movimentos mínimos que ocorrerá o verdadeiro trabalho do luto.

*

Vamos mudar de registro por um momento, a fim de ver a mesma identificação com o objeto amado e perdido, mas sob outra forma. Freud nos diz: "O luto é a perda, a reação à perda de um objeto de amor." Insisto: não se trata de um objeto qualquer. Não nos enlutamos por um ser que nos foi indiferente, mas por um ser que escolhemos e amamos intensamente: "objeto eleito pela escolha narcísica". Mas qual é o objeto narcísico por excelência? Quero dizer: qual é o objeto que foi privilegiado por interesse estritamente narcísico e depois foi perdido? Qual é o paradigma do objeto do luto? O objeto mais narcísico, aquele pelo qual temos de nos enlutar, é o pênis. A esse respeito, seria necessário ler simultaneamente "Luto e melancolia"[42] e um pequeno artigo intitulado "O declínio do complexo de Édipo".[43] Percebe-se imediatamente a analogia entre o luto de um ser amado e o que se pode considerar como luto de um órgão também muito amado, o pênis. Esse luto, nós o conhecemos bem. Consiste nisto: a criança, diante da ameaça de castração, decide salvar seu órgão peniano, renunciando ao desejo incestuoso por sua mãe. Mas, salva-o de tal maneira que o perde, apesar de tudo; torna-o inutilizável para realizar o desejo incestuoso. O pênis é assim salvo da ameaça de castração, mas fica perdido como órgão ativo do desejo proibido. Em suma, a criança conserva o pênis como parte do corpo, mas o perde como meio e agente do desejo incestuoso.

Pode-se decompor essa perda em dois tempos. Primeiro, a criança suprime o órgão para elevá-lo à dignidade de significante. Transforma o pênis em *significante fálico*. A partir daí, não se falará mais de "pênis", mas de "falo". E depois, segundo tempo, que não é mais um movimento de supressão e de elevação — como a *Aufhebung* de Hegel — mas um movimento de identificação com o pênis como objeto amado. É aí que encontramos não o significante, mas o *objeto fálico*. O falo é aqui o objeto fálico imaginário de uma castração simbólica.

Em resumo, o pênis do menino se perde de duas maneiras. Ou a criança neutraliza o seu órgão e o eleva à dignidade de significante, isto é, põe palavras no lugar do pênis: por não poder dormir com a mãe, ela lhe declara o seu amor. Ou então, segundo destino, segunda perda, ao invés de suscitar significantes, ao invés de simbolizar, a criança se põe no lugar do objeto, isto é, identifica-se com o órgão peniano. É dessa identificação que nascerá o objeto fálico imaginário. O menino não tem falo, mas ele *é* o falo. Eis os dois destinos do pênis: tornar-se significante fálico, símbolo do desejo sexual, ou tornar-se objeto fálico imaginário da castração. A identificação narcísica, a mesma que está no centro do luto, se refere precisamente a esse segundo destino, isto é, o fato de identificar-se com o objeto perdido. Na sua reflexão sobre o luto, Freud retoma exatamente esse modelo da identificação da criança com o seu órgão peniano, identificação que resultará pois, insisto, na constituição do objeto fálico imaginário.

É agora — falta ainda um elo — que a formação desse objeto fálico imaginário se produz no interior do campo do Outro, isto é, no interior do campo da castração do Outro. Por quê? Porque a "castração do Outro" quer dizer simplesmente que a mãe também não tem tudo o que deseja, que ela é castrada, e logo desejante. A criança se faz objeto no oco do desejo da sua mãe. Agora, podemos compreender melhor a bela proposição de Lacan, que se encontra no seminário sobre *A angústia*,[44] quando trata do luto: "Estamos enlutados por aqueles para quem fomos, sem saber, o objeto faltoso." Traduzo: o seu falo imaginário. Estamos de luto por aqueles — os raros eleitos — para quem fomos o suporte da sua castração. Operamos um salto e dizemos: estamos de luto por aqueles para quem fomos o seu objeto *a*. Posso ouvir a pergunta: mas como você pode identificar o objeto *a* com o objeto fálico imaginário? De fato, não os identifico verdadeiramente, pois o objeto imaginário da castração do Outro é apenas a roupa, a figura imaginária do objeto *a*. Não posso deter-me nesse ponto, que deixo aberto, mas permitam-me este salto, que consiste em entender a frase de Lacan assim: "Estamos de luto por aqueles para quem fomos o objeto *a*." O desaparecimento da pessoa amada nos revela, no momento do funeral, por exemplo, quando da visão impressionante do seu corpo inerte, que fomos a sua carência, que éramos o objeto do seu desejo. Como se, antes que o outro morresse, fôramos o seu objeto sem saber; e depois do seu desaparecimento, com a dor, descobríssemos que sempre o fomos e continuássemos a sê-lo durante um tempo, o tempo do luto. Em outras palavras, há como que a revelação posterior de um lugar que ignorávamos ocupar na relação com o nosso próprio desejo e com o desejo do Outro. Eis o que se pode dizer sobre o processo de identificação com o objeto, identificação que ocorre não só no luto, mas bem antes da morte do amado.

Para concluir, podemos afirmar que quando desaparece o outro que era o meu eleito e de quem eu era o eleito, perco não só a pessoa, mas o lugar de objeto *a* e de objeto imaginário que eu ocupava para ele.

*

Mas uma questão se levanta agora: o que significa perder o seu lugar de objeto *a* e de objeto imaginário? E, a esse respeito, em que essa perda participa do luto? Responderei de duas maneiras.

O que se perde com a morte do ente querido é, primeiro, a imagem de mim mesmo que ele me permitia amar. O que perdi, antes de tudo, é o amor a mim mesmo, que o outro tornava possível. Isso significa que o que se perde é o eu ideal, ou mais exatamente o meu eu ideal ligado à pessoa que acaba de desaparecer. Digo a "pessoa", mas o que ela é realmente? Certamente, podemos concordar que, por ocasião da morte de um ser amado, perco um determinado eu ideal, próprio da nossa relação de amor e de desejo. Mas será que perco apenas isso? Sem dúvida, eu era o objeto, mas ele, o que era ele exatamente? Ele não era o meu eu ideal, mas o suporte real desse eu. Entretanto, outra coisa foi levada com a sua morte. O que partiu com ele não foi apenas o meu eu ideal, mas o suporte vivo que era a sua pessoa, isto é, o seu cheiro, o timbre da sua voz, o encanto da sua presença. O que perco ao perder o meu amado é a pulsão, o corpo pulsional, ou, mais exatamente, o objeto pulsional que dava consistência à minha imagem — eu ideal — que ele me dava a amar. Isso nos leva a reler assim a fórmula de Lacan: "fazemos o luto daqueles de quem fomos o objeto, isto é, a falta", "fazemos o luto daqueles que, por sua vez, foram para nós o objeto, a falta, o suporte pulsional do nosso eu ideal".

Todavia, não posso afirmar que ao perder o meu amado, perco a pulsão, pois continuo a viver. Sim, perdi esta voz, este objeto de pulsão, mas a pulsão se desloca e se transpõe. Penso no artigo de Freud "Sobre a transposição das pulsões",[45] no qual ele nos diz que existem deslocamentos dos objetos de pulsão. Pois bem, a dor seria — é minha hipótese — um objeto de pulsão transitória, provisória, como se fosse necessário que o sujeito, sob o choque da morte do outro, não deixasse de exercer a sua atividade pulsional, e isso apesar das inibições próprias da fase do luto. Em suma, entre a voz que parte e a que talvez virá, intercalo a dor. Proponho que reflitam nessa nova abordagem da dor do luto como objeto de pulsão.

Freud não situa a dor como sendo exclusivamente ligada à perda, mas ao trabalho do luto. Essa é uma nuance sutil, que tem muita importância. Freud não procura saber por que a perda é dolorosa, mas por que o trabalho do luto é doloroso. É para essa distinção muito sutil que se dirigirão agora as nossas interrogações.

*

A Dor do luto não é dor de separação mas dor de amor

A dor gera-se e desprende-se na atividade de compromisso e transação, que é própria da elaboração de um luto. Ora, por que, pergunta Freud, essa atividade de transação que responde ao imperativo da realidade — a pessoa enlutada *tem* que se destacar do morto — é tão dolorosa? Em que consiste esse trabalho? O que é a elaboração do luto? É uma lenta e minuciosa retomada de cada um dos detalhes do vínculo que me ligava ao objeto amado e agora perdido. Nesse trabalho, cada lembrança do morto é tratada pelo eu segundo três procedimentos. Primeiro, há uma focalização, uma delimitação de cada lembrança e de cada imagem ligadas ao objeto perdido. Uma vez bem delimitada a imagem, produz-se então um desinvestimento da citada imagem. Assim, primeira operação: focalização. Segunda operação: desinvestimento. Terceira operação: a libido, destacada da imagem mental do outro, é transportada para uma grande parte do eu. É precisamente esse movimento que produz a identificação com o objeto, mais exatamente com a imagem do objeto. Sublinho imediatamente um aspecto muito importante para a seqüência de nossa demonstração, isto é, que o procedimento de focalização de cada uma das representações inconscientes do objeto — que também chamamos "lembrança" ou "imagem" — consiste em um superinvestimento afetivo. Podemos assim nomear os três patamares da elaboração do luto: *superinvestimento*, depois *desinvestimento*, e enfim transporte do afeto para o conjunto do eu, isto é, *identificação*.

E quanto à dor? Quando se lê "Luto e melancolia", tem-se a impressão de que a tarefa maior que o eu deve cumprir durante o luto é destacar-se das lembranças ligadas ao morto — destacar, isto é, desinvesti-lo afetivamente. Depois dessa leitura, temos vontade de concluir que, se há dor, é por causa do desligamento, da separação e da dissolução do vínculo. Se quisermos exprimir esse processo com o vocabulário freudiano clássico, diremos: a dor é gerada no deslocamento dos investimentos que deixam a representação de objeto para difundir-se no eu como investimentos narcísicos.

Outros autores, como Melanie Klein, por exemplo, consideram a dor como sendo efetivamente devida à perda propriamente dita. É a posição clássica dos que, tendo estudado o fenômeno da dor, consideram que ela é provocada por uma lesão do eu. Nessa hipótese, a dor responderia a uma concepção substancialista do eu, concebido como um corpo que sofre porque a perda do amado lhe arrancou uma parte de si mesmo. Entretanto, relendo "Luto e melancolia" como acabamos de fazer, constatamos que a dor não é imediatamente ligada à perda, mas ao trabalho do luto, entendendo-se que a palavra "luto" significa não "perda", mas reação à perda.

Ora, em *Inibição, sintoma e angústia*, ("Addenda C")[46] Freud parece dizer-nos inicialmente o contrário, para no fim concluir por uma solução de compromisso entre a sua afirmação inicial de "Luto e melancolia" e a afirmação aparentemente oposta da "Addenda C". Nesse pequeno texto, lembra em um primeiro tempo que "a dor [corporal] é uma excitação que irrompe no dispositivo do pára-excitações e age a partir de então como uma excitação pulsional constante, determinando uma paralisia". Acrescenta: "Mas finalmente essa definição da dor não leva em conta uma dor como a do luto." Então, como fazer corresponder a definição da dor corporal com a da dor psíquica, especialmente a dor do luto? Freud escreve: "A dor corporal supõe um superinvestimento da representação psíquica do local lesado do corpo." Observem que não se trata da representação do objeto como era o caso no luto, mas do local lesado do corpo. E depois, comparando essas duas categorias de dor, física e psíquica, precisa: "O investimento do objeto como objeto perdido [isto é, da *representação* do objeto amado e perdido] é tão intenso quanto o da dor corporal [investimento da *representação* do local lesado do corpo]." É isto que me importa transmitir-lhes: *a dor não se deve ao destacamento, mas ao superinvestimento*. A representação de objeto é tão superinvestida na dor do luto quanto a representação do local lesado do corpo na dor corporal. Em resumo, a dor responde a uma alta concentração de libido na representação psíquica de um objeto que, na realidade, foi perdido ou ferido. Vemos bem que o superinvestimento afetivo de uma representação significa um maior apego no interior ao objeto que não está mais no exterior.

Conclusão: a dor do luto não é dor de separação, mas dor de ligação. É esta novidade que desejo trazer-lhes: *pensar que o que dói não é separar-se, mas apegar-se mais do que nunca ao objeto perdido*. Assim, nas três etapas que caracterizamos há pouco, pareceria que a dor é gerada não na operação de destacamento, mas na do recentramento e do superinvestimento do vínculo psíquico com o objeto. Se, com essa tese em mente, escutarem um analisando que lhes fala da dor que o atormenta depois da perda de um ser querido, ficarão certamente surpresos. Surpresos de sentir que a sua dor não é tanto por não ter mais perto de si o outro amado, mas por tê-lo presente, mais presente do que nunca. A dor não é pois dor de perder, mas de apertar fortemente demais os laços com a representação do outro ausente. Assim, observemos todavia que Freud, algumas páginas depois, conclui que a causa da dor reside tanto no destacamento quanto no superinvestimento: "tratando-se do luto, seria preciso pensar que a dor [ele não diz "a dor" mas "reações dolorosas"] se explica porque a intensidade do destacamento é tão forte quanto a intensidade do investimento." Vemos que Freud fica em uma posição ambígua, uma solução de compromisso, sem conseguir revelar a verdadeira dimensão econômica da dor.

*

Se ainda lhes restar alguma paciência, gostaria de abordar uma última questão, antes de deixar-lhes a palavra para o nosso debate. Quando do seu comentário sobre *Hamlet*, Lacan formula uma hipótese fecunda quanto ao fenômeno do luto. Hamlet não pôde fazer o luto do pai assassinado, pois a maioria dos ritos funerários não foram respeitados. Sua mãe, principalmente, não observou o tempo necessário entre a morte do esposo e o novo casamento. Esse luto feito às pressas, que tanto enlouquece Hamlet, Lacan o chama de "luto não satisfeito". Com outra expressão tomada por empréstimo a Freud, ele também o qualificará de "buraco no real". Digo a partir de uma expressão de Freud, pois é uma fórmula tirada do "Manuscrito G",[47] que trata da dor melancólica como de um fenômeno de hemorragia interna. Haveria como que uma brusca descompressão das excitações que se escoariam através de um buraco no psiquismo. Em "Luto e melancolia", ele retoma a mesma imagem do buraco aspirante: "O complexo melancólico se comporta como um ferimento aberto, atraindo para si, de todas as partes, energias de investimento, e esvaziando o eu até empobrecê-lo completamente." É pois uma espécie de sucção da energia interna.

Mas esta é a frase completa de Lacan, que desejaria comentar: "O luto, como buraco no real, é o avesso da foraclusão psicótica". Enquanto o luto seria um buraco no real, operando como o núcleo central de um turbilhão de energia, como um abismo em cujas bordas gravitaria, em um movimento centrípeto, o sistema simbólico, a foraclusão operaria a rejeição de um significante em um movimento centrífugo, que o ejetaria do sistema para cair no real. Ou seja, o buraco aspirante no real do luto patológico é o avesso da foraclusão rejeitante. Observem entretanto que essa oposição só é legítima com a condição de identificar a foraclusão com o movimento de rejeição. Ora, não estou tão certo de que seja necessariamente preciso conceber a operação foraclusiva como uma operação de exclusão. Mas essa é outra questão, que já tratei em outra circunstância.

*

□ *Que relação o sr. estabelece entre a foraclusão e a sua tese da dor como objeto de pulsão transitória?*

Se se pode sofrer a dor, é porque não há foraclusão, e porque o sistema de significantes permanece coerente e ativo.

□ *Pode-se dizer que a dor do luto é tão consciente quanto inconsciente?*

É perturbador afirmar que a dor do luto não é somente aquela que sentimos quando nosso amado desaparece, mas que ela é também um sofrimento do qual não temos consciência. A expressão "dor inconsciente" deixa supor imediatamente uma contradição nos termos. É a mesma dificuldade que Freud encontrou ao estudar o "sentimento inconsciente de culpa". Ele não hesita em confessar quanto lhe é difícil modificar a sua fórmula, embora saiba que as palavras "sentimento" e "inconsciente" são contraditórias. Sem dar uma solução para o problema, existe um conceito que pode nos ser útil, o de "percepção endopsíquica". Tanto o sentimento inconsciente quanto a dor inconsciente resultariam da percepção endopsíquica dos movimentos pulsionais.

☐ *O trabalho de luto tem fim?*

O luto, concebido como um trabalho, nos dá a liberdade de pensar que não perdemos alguém quando ele morre, mas apenas o perdemos depois de um longo tempo de elaboração. É exatamente a mesma situação que o fim da análise. A última sessão nunca é o fim de uma análise, e não fazemos imediatamente o luto da relação analítica depois de terminá-la. Há todo um trabalho de luto, que poderíamos chamar de "declínio da análise", ou ainda "declínio do complexo analítico". Esse declínio implica um processo laborioso de recalcamentos, diversos retornos do recalcado, sintomas e flutuações na vida do sujeito, compreendendo até passagens ao ato e *acting-out*. Mas uma pergunta permanece: quando acaba esse trabalho? Será que ele acaba um dia? Para a mulher, segundo Freud, ele não acaba nunca. O declínio do complexo de Édipo feminino duraria toda uma vida. Por quê? Porque uma mulher é sempre um tornar-se mulher. Para o homem, é diferente. O menino determina precisamente a sua identidade masculina com a ameaça de castração; é o momento em que desaparece o seu complexo de Édipo. Evidentemente, há o período de latência que não se deve esquecer, mas o complexo de Édipo culmina com a angústia de castração, depois declina, para ser enfim enterrado. Ora, a mulher nunca sai do Édipo, é o que lhe dá a possibilidade de tornar-se mulher. Mas o luto, talvez, seja tão interminável quanto o Édipo feminino...

☐ *Que diferença se pode estabelecer entre luto normal e luto patológico?*

A diferença seria esta: no luto normal, a retirada da libido se desloca progressivamente para um outro objeto. A libido deixa pouco a pouco a representação do objeto perdido para investir a representação de um novo objeto eleito. Ao passo que, no luto patológico, uma vez destacada do objeto perdido, a libido se dissemina pelo conjunto do eu e se cristaliza sob a forma de uma identificação congelada com a imagem do objeto perdido.

EXCERTOS DAS OBRAS DE FREUD
SOBRE A DOR CORPORAL,
PRECEDIDOS DE NOSSOS
COMENTÁRIOS

Freud e Lacan abordaram raramente o tema da dor e nunca lhe dedicaram um estudo exclusivo. Os excertos que se seguem provêm de curtos trechos, esparsos no conjunto da obra desses autores.

As linhas em **negrito** *que apresentam as citações de Freud são de J.-D. Nasio.*

A Dor Corporal

Freud considera que a dor física resulta da irrupção violenta de grandes quantidades de energia que atingem o centro do eu, onde se situam os neurônios da lembrança, isto é, no nível do inconsciente. A dor no corpo se inscreve no inconsciente.

"É provável que o sentimento especificamente penoso que acompanha a *dor física* resulte de uma ruptura parcial da barreira de proteção. Excitações vindas dessa região periférica afluem então continuamente para o aparelho psíquico central."[1]

"A *dor* consiste em uma irrupção de grandes quantidades de energia [provenientes do exterior] nos neurônios da lembrança."[2]

"A *dor* desencadeia o sistema [de percepção externa] e o sistema de neurônios da lembrança; sua transmissão não se choca com nenhum obstáculo. Vemos neste o mais imperioso de todos os processos."[3]

Freud define a dor corporal como uma irrupção maciça de energia no eu, que, à maneira de um raio, suprime todas as resistências e atinge o núcleo dos neurônios da lembrança, onde ela deixa a sua marca.

"A quantidade de energia externa produz um trilhamento e é certo que a *dor* deixa atrás de si trilhamentos permanentes nos neurônios da lembrança, à maneira de um raio."[4]

A dor corporal significa um grave transtorno do eu e a paralisia do princípio de prazer, guardião do nosso equilíbrio psíquico. A dor exprime um além do princípio de prazer. Ela comociona o eu mas não o destrói.

"Um acontecimento como um traumatismo exterior produzirá sempre uma grave perturbação na economia energética do organismo e mobilizará todos os meios de defesa. Mas é o princípio de prazer que será o primeiro a ser posto fora de combate."[5]

A Dor é uma Pseudo-pulsão

Nas raras vezes em que Freud define a dor corporal, compara-a com a pulsão. A agressão externa e anormal que provoca a dor evoca a agressão interna e normal da pulsão. Em ambos os casos, a excitação é constante.

"Também sobre a dor sabemos muito pouca coisa. O único conteúdo certo é dado pelo fato de que a *dor* [corporal...] aparece quando um estímulo que ataca na periferia abre uma brecha nos dispositivos do pára-estímulo e age a partir de então como um *estímulo pulsional* contínuo."[6]

"É provável que o sentimento especificamente penoso que acompanha a *dor física* resulte de uma ruptura parcial da barreira de proteção. Excitações vindas dessa região periférica fluem então continuamente para o aparelho psíquico central, como se se tratasse de excitações provenientes do interior do aparelho."[7]

A dor corporal é ainda comparável à pulsão. Quando a agressão externa que provocou uma dor deixa as suas marcas no inconsciente, torna-se uma constante excitação interna, que pode a qualquer momento fazer renascer a dor. Mais uma vez, pulsão e dor se assemelham por sua fonte constantemente excitada.

"Pode acontecer que uma excitação externa, por exemplo, corroendo e destruindo um órgão, se torne interna e nasça assim uma nova fonte de excitação constante e de aumento de tensão. *Ela se assemelha muito, então, a uma pulsão.* Sabemos que nesse caso, nós a sentimos como *dor*." [8]

Mas na verdade a dor não é uma pulsão. Suas finalidades são diferentes: a dor é um sinal de alarme para fazer cessar o mal, enquanto a pulsão procura o prazer. As defesas do eu diferem nos dois casos: diante da pulsão, o eu opõe o recalcamento; diante da dor imperativa, ele fica impotente.

"Mas a [dor], essa *pseudopulsão*, só tem por fim fazer cessar a alteração do órgão e o desprazer que a acompanha. [...] Além disso, a *dor* é imperativa; ela só obedece à ação do tóxico que a suprime." [9]

*

O Prazer e o Desprazer Exprimem o Ritmo Pulsional;
a Dor, em Contrapartida,
tal como a Definimos,
É uma Ruptura desse Ritmo

Durante muito tempo, Freud considerou o prazer e o desprazer como as expressões qualitativas de uma diminuição ou de um aumento da tensão psíquica. Em 1924, depois de constatar que existem baixas de tensão desagradáveis e altas de tensão agradáveis, mudou de critério. A partir de então, as sensações de prazer e desprazer não corresponderiam mais à intensidade das tensões, mas ao ritmo das variações tensionais. Foi essa nova maneira de encarar o prazer e o desprazer — sem todavia desenvolvê-la — que nos levou a definir a dor como uma ruptura do ritmo pulsional, e a distingui-la do desprazer.

"[...] Há tensões impregnadas de prazer e relaxamentos desagradáveis [...]. Prazer e desprazer não podem pois ser relacionados com o acréscimo e o decréscimo de uma quantidade que chamamos tensão de estímulo. [...] Parece que eles não dependem desse fator quantitativo, mas de um caráter [...] qualitativo. Talvez seja o *ritmo*, o escoamento temporal nas modificações, aumentos e diminuições da quantidade de estímulo; não sabemos." [10]

"O desprazer ou o prazer não dependem, provavelmente, do grau absoluto das tensões, mas do *ritmo* das variações destas."[11]

*

A Memória da Dor

Uma coisa é a experiência passada de uma dor violenta provocada por um incidente real; outra coisa é a sua revivescência sob a forma de um afeto doloroso. Enquanto a dor do passado fora provocada por um agente externo, o afeto doloroso de hoje é suscitado por uma estimulação interna, muitas vezes imperceptível.

"No caso de uma experiência dolorosa, [a] fonte é evidentemente a quantidade de energia proveniente do exterior; no caso dos afetos [dolorosos], é a quantidade de energia interna liberada pelo trilhamento."[12]

A antiga dor traumática tornou tão sensíveis os neurônios da lembrança que a menor estimulação interna os reativa e uma nova dor aparece. Essa nova dor é chamada por Freud de "afeto"; e o fenômeno de sensibilização dos neurônios, de "trilhamento".

"A dor passa por todos os caminhos de trilhamento. [...] A *dor* deixa atrás de si trilhamentos permanentes nos neurônios da lembrança, à maneira de um raio."[13]

A exemplo de todo afeto, uma dor vivida é a lembrança de uma dor antiga.

"O afeto não é nada mais do que a reminiscência de uma experiência."[14]

"[Os afetos seriam] reproduções de acontecimentos antigos, de importância vital, eventualmente pré-individuais."[15]

"[Os] afetos em geral [...] são incorporados à vida da alma como precipitados de experiências vividas traumáticas muito antigas, e são evocados em situações similares como símbolos mnêmicos."[16]

*

TODA DOR É A LEMBRANÇA DE UMA DOR ANTIGA E TODA PERDA É A REPRODUÇÃO DE UMA PRIMEIRA PERDA JÁ ESQUECIDA

A capacidade de representar uma lesão corporal e viver a dor foi adquirida por ocasião das diferentes perdas na infância: o nascimento, a defecação ou o desmame. Essas provas ensinaram à criança que as coisas essenciais podem lhe faltar. Quando o menino chega a representar a perda do seu pênis, aparece a angústia de perdê-lo, angústia que conhecemos sob o nome de "angústia de castração".

"A criança adquire a representação de um dano narcísico por perda corporal a partir do fato de perder o seio materno, depois de ter sugado, a partir da liberação cotidiana das fezes, e mesmo já a partir da separação do ventre materno, quando do nascimento. Mas só se deveria falar de um complexo de castração a partir do momento em que essa representação de uma perda [foi referida] ao órgão genital masculino."[17]

"Acontece que uma vez o menino, tão orgulhoso da sua posse de um pênis, tenha diante dos olhos a região genital de uma menina, e tenha que se convencer da falta do pênis em um ser tão semelhante a ele. Assim, a sua própria perda do pênis torna-se também representável."[18]

*

A DOR INCONSCIENTE

Freud define a dor inconsciente como um elo intermediário entre uma percepção externa e outra interna. A marca que uma dor passada deixou no inconsciente pode tornar-se uma excitação interna capaz de desencadear uma outra dor. A antiga dor foi provocada por uma percepção externa, enquanto a nova dor é despertada por uma percepção interna.

"Do mesmo modo que as tensões produzidas pelas necessidades, a *dor*, esse elo intermediário entre a percepção interna e a percepção externa, que se comporta como uma percepção interna, ao passo que tem sua fonte no mundo exterior, também pode ficar *inconsciente*."[19]

*

A Dor Corporal se Explica pelo Superinvestimento da Representação Mental da Parte Ferida do Corpo

"[A *dor corporal*] encontra [...] também a sua explicação no fato da concentração do investimento sobre a representação psíquica do local do corpo doloroso. Ora, é nesse ponto que parece residir a analogia que permitiu a transferência da sensação de dor para o domínio anímico."[20]

*

A Dor Corporal é um Excesso de Amor pelo Órgão Lesado, em Detrimento dos Outros Objetos de Amor

Eis como o eu reage ao trauma consecutivo a uma ruptura dos tecidos protetores. Reúne todas as suas forças disponíveis e, mesmo correndo o risco de enfraquecer-se, ele as concentra (contra-cargas) em um único ponto, o do ferimento; mais exatamente, no ponto da representação psíquica do ferimento.

"E que reação [do eu] contra essa irrupção podemos esperar? [Ele] recorre a todas as cargas de energia existentes no organismo, a fim de constituir na vizinhança da região onde se produziu a irrupção [ferimento] uma carga energética de uma intensidade correspondente. Forma-se assim uma extraordinária contra carga, à custa do empobrecimento de todos os outros sistemas psíquicos."[21]

A dor é um afeto que resulta do superinvestimento da representação do órgão lesado e, simultaneamente, do desinvestimento do mundo exterior.

"Na *dor corporal* aparece um investimento elevado, que se deve chamar de narcísico, do local do corpo *doloroso*, investimento que aumenta sem cessar e age, por assim dizer, sobre o eu, esvaziando-o."[22]

"Aquele que está afligido de *dor orgânica* [...] abandona o seu interesse pelas coisas do mundo exterior na medida em que elas não têm relação com o seu sofrimento. [...] Ele retira [...] também o seu interesse libidinal dos seus objetos de amor, que deixa de amar durante o tempo que durar o seu sofrimento."[23]

*

A Dor Forma o Nosso Eu e nos Ensina a Descobrir o Nosso Corpo

Quando sentimos a dor, representamos o corpo e, ao fazer isso, constituímos o nosso eu. Pois o eu nasce de todas as percepções sensoriais e das representações que se formam no psiquismo.

"O corpo próprio, e antes de tudo a sua superfície [a pele], é um local de que podem provir simultaneamente percepções externas e internas. A *dor* [...] parece desempenhar um papel nisso. [...] Adquire-se um novo conhecimento dos órgãos [e] chega-se a representar o próprio corpo."[24]

*

O eu é duplamente uma superfície: a imagem mental da superfície do corpo e a superfície perceptiva do aparelho psíquico.

"O eu é, finalmente, derivado de sensações corporais [entre as quais a dor], principalmente das que têm a sua fonte na superfície do corpo. Assim, ele pode ser considerado como uma projeção mental da superfície do corpo, e além disso [...], representa a superfície do aparelho [psíquico]."[25]

"O eu é antes de tudo um eu corporal; não é apenas um ser de superfície [psíquica], mas é ele próprio a projeção de uma superfície [a superfície do corpo, isto é, a pele]."[26]

A Dor Psicogênica

A dor psicogênica é aqui a expressão somática de uma pulsão freada pelo recalcamento; no lugar de uma pulsão recalcada, aparece uma

dor corporal sem causa orgânica que a justifique. Se o recalcamento não tivesse detido o impulso da pulsão, esta se teria expressado plenamente sob a forma de uma dor moral.

"Mas enfim, o que é que se transforma em *dores físicas*? Com prudência, responderemos: alguma coisa que teria podido e devido dar nascimento a uma *dor moral*."[27]

"O mecanismo [produtor de uma dor histérica] é a conversão, isto é, no lugar das *dores morais* evitadas, *dores físicas* sobrevêm."[28]

A dor corporal pode ser um sintoma, isto é, a satisfação substitutiva de uma pulsão recalcada.

"Tomemos como exemplo a dor de cabeça ou as *dores* lombares histéricas. A análise nos mostra que, pela condensação e pelo deslocamento, essas dores se tornaram uma satisfação substitutiva para toda uma série de fantasias ou de lembranças libidinais."[29]

*

Dor e Gozo

Para Lacan, a dor corporal é a figura mais pura do gozo.

"... pois o que eu chamo de gozo, no sentido em que o corpo se experimenta, é sempre da ordem da tensão, do forçamento, da defesa e até mesmo da façanha. Incontestavelmente, há gozo no nível em que começa a aparecer a *dor*, e sabemos que é somente nesse nível da *dor* que se pode experimentar toda uma dimensão do organismo que, de outra forma, permanece velada."[30] *Lacan*.

Referências dos excertos citados

1. "Au-delà du principe de plaisir", in *Essais de psychanalyse*, Payot, 1971, p.37.
2. "Esquisse d'une psychologie scientifique", in *La naissance de la psychanalyse*, PUF, 1991, p.326.
3. Idem.
4. Ibid., p.327.
5. "Au-delà du principe de plaisir", op. cit., p.37.
6. "Inhibition, symptôme et angoisse", *Oeuvres complètes*, PUF, t.XVII, 1992, p.285.
7. "Au-delà du principe de plaisir", op. cit., p.37.
8. "Le refoulement", in *Métapsychologie*, Gallimard, 1968, p.46 (© Gallimard).
9. Idem.
10. "Le problème économique du masochisme", *Oeuvres complètes*, PUF, t.XVII, 1992, p.12.
11. *Abrégé de psychanalyse*, PUF, 1985, p.5.
12. "Esquisse d'une psychologie scientifique", op. cit., p.327.
13. Ibid., p.352.
14. *Les premiers psychanalystes*, Gallimard, 1978, t.II, p.317 (© Gallimard).
15. "Inhibition, symptôme et angoisse", op. cit., p.249.
16. Ibid., p.211.
17. "L'organisation génitale infantile", *Oeuvres complètes*, PUF, t.XVI, 1991, p.308, n.1.
18. "La disparition du complexe d'Oedipe", *Oeuvres complètes*, PUF, t.XVII, 1992, p.29.
19. "Le moi et le ça", in *Essais de psychanalyse*, Payot, 1981, p.234.

20. "Inhibition, symptôme et angoisse", op. cit., p.286.
21. "Au-delà du principe de plaisir", op. cit., p.37.
22. "Inhibition, symptôme et angoisse", op. cit., p.285.
23. "Pour introduire le narcissisme", in *La vie sexuelle,* op. cit., p.88-9.
24. "Le moi et le ça", op. cit., p.238.
25. Idem.
26. Idem.
27. *Études sur l'hystérie*, PUF, 1990, p.132.
28. Idem.
29. *Introduction à la psychanalyse*, Payot, 1961, p.368.
30. "Psychanalyse et médecine", in *Lettres de l'école freudienne*, n. 1, 1966.

Excertos das Obras de Freud e Lacan sobre a Dor Psíquica, Precedidos de nossos Comentários

*As linhas em **negrito**, que apresentam as citações de Freud e de Lacan, são de J.-D. Nasio*

O QUE É A DOR PSÍQUICA?

Para Freud, a dor resulta de uma súbita hemorragia interna da energia psíquica.

"Uma aspiração se realiza no psiquismo e produz um efeito de sucção sobre as quantidades de excitação vizinhas. Os neurônios associados devem abandonar a sua excitação, o que provoca uma *dor*. Uma dissolução das associações é sempre uma coisa penosa. Um empobrecimento em excitação [...] se produz de um modo que se assemelha a alguma hemorragia interna. Esse processo de aspiração provoca uma inibição e tem os efeitos de um ferimento, análogo à *dor*. [...] Há também empobrecimento, pelo fato de que a excitação se escoa como que [bombeada] por um buraco, [...]. É no psiquismo que se situa o buraco."[1]

"A melancolia [...] é uma inibição psíquica acompanhada de um empobrecimento pulsional; daí a *dor*."[2]

"O complexo melancólico se comporta como um ferimento aberto, atraindo de todos os lados para si as energias de investimento [...] e esvaziando o eu até empobrecê-lo completamente."[3]

*

Nunca Estamos Tão Mal Protegidos Contra a Dor Como Quando Estamos Apaixonados

"[Sendo] dependentes do objeto de amor escolhido, [...] nós nos expomos à mais forte das [dores] se somos desprezados por ele ou se o perdemos por motivo de infidelidade ou de morte."[4]

Perder o amor do amado é também perder o que era o centro organizador do meu psiquismo.

"Se [o amado] perde o amor do outro, do qual ele é dependente, acaba perdendo a proteção contra todo tipo de perigos."[5]

*

O Luto e a Dor do Luto

Só nos enlutamos pela pessoa que compartilhou as nossas fantasias. Fomos a fonte da sua insatisfação e ela foi, por sua vez, a fonte da nossa própria insatisfação.

"Quando o objeto [amado e perdido] não tem uma importância tão grande para o eu, reforçada por mil laços, a sua perda também não é capaz de causar um luto."[6]

"O objeto pelo qual nos enlutamos era, sem que soubéssemos, aquele que se fizera — e do qual fizemos — o suporte da nossa castração."[7] *Lacan*

"Estamos de luto por alguém de quem podemos dizer: 'Eu era a sua falta'. Estamos de luto por pessoas que tratamos bem ou mal, e para as quais não sabíamos que cumpríamos a função de estar no lugar da sua falta."[8] *Lacan*

O que é o luto? O luto é uma retirada do investimento afetivo da representação psíquica do objeto amado e perdido. O luto é um processo de desamor. É um trabalho lento, detalhado e doloroso. Pode durar dias, semanas e até meses. Ou ainda toda uma vida...

"A tarefa [...] não pode ser cumprida imediatamente. Efetivamente, ela é cumprida em detalhe, com um grande gasto de tempo e de energia de investimento."[9]

"Cada uma das lembranças, cada uma das esperanças, pelas quais a libido estava ligada ao objeto, é trabalhada, superinvestida e o destacamento da libido é cumprido sobre ele."[10]

A dor do luto é um fenômeno incompreensível. O luto é um movimento de afastamento forçado e doloroso do que tanto amamos e que não existe mais. Somos obrigados a nos destacar, dentro de nós, do ser amado que perdemos fora.

"O luto, quanto à perda de algo que amamos ou admiramos parece tão natural ao profano que ele o declara evidente. Mas [...] o luto é um grande enigma [...]."

"Representamos que possuímos uma certa medida de capacidade de amor, chamada libido, [...] ela [...] se volta para os objetos que [...] tomamos para dentro, no eu. Se os objetos forem destruídos ou perdidos para nós, nossa capacidade de amor (libido) volta a ser livre. [...] Mas por que esse destacamento da libido dos seus objetos deveria ser um processo tão *doloroso*, não compreendemos. [...] Vemos somente que a libido se agarra aos seus objetos e não quer abandonar os que se perderam. [...] Isso é realmente o luto."[11]

O luto é uma luta permanente entre um amor que não cede o amado perdido, e uma força que nos destaca dele.

"Não se consegue vencer o luto, talvez porque seja verdadeiramente um amor inconsciente."[12]

Durante o luto, o eu se identifica com a imagem do amado perdido: a sombra do objeto cai sobre o eu. A identificação é uma forma de amor.

"Quando se perde um ser amado, a reação mais natural é identificar-se com ele, substituí-lo, por assim dizer, a partir de dentro."[13]

*

A Dor Psíquica se Explica pelo Superinvestimento da Representação Mental do Amado Perdido

"A passagem da *dor do corpo* para a *dor da alma* corresponde à mudança de investimento narcísico [investimento da representação da parte lesada do corpo] em investimento de objeto [investimento do amado perdido]."[14]

*

No Luto, a Dor se Mistura ao Amor e ao Ódio

No luto, somos habitados não só pela dor, mas algumas vezes pelo ódio contra o morto e também pela culpa por sentirmos ódio.

"Muitas vezes acontece que os sobreviventes sejam tomados por dúvidas penosas, que chamamos 'acusações obsessivas', e se perguntam se eles próprios não causaram, com a sua imprudência, a morte da pessoa amada [...]. Isso não quer dizer que a pessoa enlutada seja realmente culpada da morte do parente ou tenha cometido alguma negligência para com ele, assim como diz a acusação obsessiva. Isso significa simplesmente que a morte do parente ofereceu satisfação a um desejo [assassino] inconsciente que, se tivesse sido bastante poderoso, teria provocado essa morte."[15]

"Só os neuróticos agravam ainda a *dor* que lhes causa a perda de um próximo por acessos de acusações obsessivas, nas quais a psicanálise descobre os vestígios da ambivalência afetiva [amor-ódio] de outrora."[16]

Assim como a melancolia, o luto é um combate travado na arena do inconsciente, entre um amor obstinado pela imagem do amado desaparecido e o ódio que permite desfazer-se dela. Ao contrário da melancolia, no luto o combate também pode ser vivido conscientemente.

"Na melancolia, trava-se em torno do objeto desaparecido uma multidão de combates singulares, nos quais amor e ódio lutam um contra o outro; o ódio para destacar a libido do objeto, o amor para manter

[a] posição da libido [...]. Não podemos situar esses combates singulares em outro sistema que não seja o inconsciente. [...] É ali também [no reino do inconsciente] que, no luto, ocorrem as tentativas de destacamento, mas aqui nada se opõe a que esses processos se propaguem pela via normal, passando pelo pré-consciente, até a consciência."[17]

A psicologia nasceu do desejo de compreender como é possível que, depois da morte de um ser querido, sintamos não só pesar, mas também ódio.

"Não foi nem o enigma intelectual, nem cada caso particular de morte, mas o conflito sentido quando da morte de pessoas amadas e, ao mesmo tempo, estranhas e odiadas, que fez nascer nos homens o espírito de pesquisa. Desse conflito de sentimentos nasceu, em primeiro lugar, a psicologia."[18]

*

A PULSÃO DE MORTE
OPERA NO LUTO

Acreditamos que a força que, no luto, nos leva a separar-nos do morto é uma das expressões da pulsão de morte, tal como a concebemos. De fato, postulamos que a pulsão de morte é essa força interior que tende a nos desembaraçar de todos os obstáculos ao movimento da vida. A pulsão de morte conserva a vida. Assim, o luto é um lento processo de separação vital do morto e de regeneração do conjunto do eu.

"O luto aparece sob a influência do exame de realidade, que exige categoricamente que tenhamos que nos separar do objeto, porque ele não existe mais. O trabalho [doloroso do luto] é executar essa retirada..."[19]

"O luto leva o eu a renunciar ao objeto [desaparecido] declarando o objeto morto [...] desvalorizando-o, rebaixando-o e até, por assim dizer, ferindo-o de morte."[20]

"[No luto], a execução da retirada da libido da representação inconsciente do objeto perdido não pode ser um processo instantâneo; é certamente [...] um processo de longa duração, que progride passo a passo."[21]

A Derradeira Dor Seria Gozar sem Limites

A dor não é estar insatisfeito, mas pelo contrário, estar entregue a uma satisfação fora de medida. A insatisfação das pulsões refreadas pelo recalcamento é, de fato, menos penosa do que a satisfação absoluta que essas pulsões teriam obtido, se não tivessem sido detidas pela censura. Sem a censura do recalcamento, conheceríamos a derradeira dor de um gozo ilimitado. Assim, o recalcamento nos protege contra a hipotética dor da explosão do ser. Essa interpretação do texto de Freud poderia exprimir-se assim em termos lacanianos: a dor é o objeto do gozo do Outro.

"[O recalcamento garante que] uma certa proteção contra o sofrimento seja atingida, pelo fato de que a insatisfação das pulsões mantidas em dependência não é sentida tão *dolorosamente* quanto a das pulsões não inibidas."[22]

*

O Bebê, a Angústia e a Dor

Freud afirma que o bebê sente angústia e dor. Em certas circunstâncias, o lactente vive esses dois afetos confundidos, porque ainda não sabe distinguir a ausência temporária da mãe do seu desaparecimento definitivo. Confunde o fato de perder a mãe de vista e perdê-la realmente. Nesse momento, experimenta um sentimento que é mistura de angústia e dor. Só mais tarde, por volta dos dois anos, quando souber discernir uma perda provisória de uma perda definitiva, poderá diferenciar a angústia da dor.

"Certamente, não há nenhuma dúvida sobre a angústia do lactente, mas a expressão do rosto e a reação pelo choro permitem supor que, fora disso, ele também sente *dor*. Parece que nele confluem essas coisas, que posteriormente serão separadas. Ele ainda não pode diferenciar a ausência sentida temporariamente e a perda duradoura; logo que perde sua mãe de vista, ele se comporta como se nunca mais fosse vê-la, e precisa de experiências consoladoras repetidas, para aprender enfim que esse desaparecimento da mãe é habitualmente sucedido pelo seu reaparecimento."[23]

Uma situação de perigo é diferente de uma situação traumática. Enquanto o perigo desperta a angústia, o trauma suscita a dor.

"A situação na qual [a criança] sente a ausência da mãe não é para ela [sendo mal compreendida] uma situação de perigo, mas uma situação traumática, ou mais exatamente, ela é traumática se a criança sente nesse momento uma necessidade que a mãe deve satisfazer."[24]

*

A Angústia da Mulher:
Perder o Amor do seu Amado

Na fantasia da mulher, o objeto mais precioso, o falo, é o amor que vem do amado, e não o próprio amado. Assim, a angústia especificamente feminina é o medo de perder o amor e ver-se abandonada.

"Na mulher [...] a situação de perigo da perda do objeto parece ser a mais eficiente. Permitimo-nos fazer, na sua condição de angústia, esta pequena modificação: não se trata mais da ausência experimentada ou da perda real do objeto [amado], mas da *perda do amor por parte do objeto*".[25]

*

O Ciúme é uma Variante
da Dor Psíquica

O ciúme é a reação a uma suposta perda do amor que meu amado desvia de mim para um rival. O ciúme é um complexo afetivo que conjuga: a dor de ter perdido o amor do amado, a de ter perdido a integridade da minha imagem narcísica, o ódio contra o rival preferido, e enfim a auto-acusação contra o eu que não soube defender o seu lugar no vínculo amoroso.

"É fácil ver que [o ciúme] se compõe essencialmente do luto, da *dor* referente ao objeto de amor que se acredita perdido e da agressão narcísica [...], e além disso, de sentimentos hostis para com o rival preferido, e de um aporte maior ou menor de autocrítica, que quer tornar o eu o próprio responsável pela perda do amor."[26]

*

Gozar da Dor

"Temos todas as razões para admitir que as sensações de *dor*, como outras sensações de desprazer, transbordam para o domínio da excitação sexual e provocam um estado de prazer; é por isso que se pode também consentir no desprazer da *dor*. Uma vez que sentir *dor* se tornou um alvo masoquista, o alvo sádico, infligir *dores*, também pode aparecer, retroativamente: então, provocando essas *dores* para outros, goza-se de modo masoquista na identificação com o objeto sofredor. Naturalmente, goza-se, em ambos os casos, não com a própria *dor*, mas com a excitação sexual que a acompanha. Gozar a *dor* seria pois um alvo originariamente masoquista, mas que só pode tornar-se um alvo pulsional para aquele que é originariamente sádico."[27]

A pele é a zona erógena de onde emana a dor perversa.

"No prazer de olhar-e-exibir-se, o olho corresponde a uma zona erógena, enquanto que, no caso de componentes da pulsão sexual como a *dor* e a crueldade, é a pele que desempenha esse papel."[28]

"O professor Freud observa [...] que só se pode aceitar a idéia de que a substância orgânica do sadomasoquismo deva necessariamente ser a superfície da pele."[29]

"A estimulação *dolorosa* da epiderme das nádegas é conhecida por todos os educadores, desde as *Confissões* de Jean Jacques Rousseau, como uma das raízes erógenas da pulsão passiva de crueldade [masoquismo]."[30]

*

A Dor e o Grito

O grito exprime, antes de mais nada, uma dor presente, mas ele volta para os ouvidos do emissor para despertar a lembrança das antigas dores; e para conferir ao objeto que nos faz sofrer o seu caráter hostil.

"Assim, quando [a mãe] grita, o sujeito se lembra dos seus próprios gritos e revive as suas próprias experiências dolorosas."[31]

"Há objetos (das percepções) que fazem gritar porque provocam um *sofrimento*. [...] Essa associação de um som com uma percepção que [provoca sofrimento] aumenta o caráter 'hostil' do objeto.[...] Nossos próprios gritos conferem o seu caráter [hostil] ao objeto."[32]

*

Dor de Existir

Lacan identifica aqui a dor com a insatisfação do desejo, e a chama de "dor de existir". Para Lacan, a dor não seria a reação imediata a uma perda súbita, como afirmamos neste livro, mas um estado indefinido tão longo quanto a duração da vida. Os dois pontos de vista: a dor considerada como uma reação, e a dor considerada como um estado, não são incompatíveis, mas perfeitamente complementares.

"É essa excentricidade do desejo em relação a toda satisfação que nos permite compreender [...] a sua profunda afinidade com a *dor*. Isso significa que, finalmente, aquilo com que o desejo confina, pura e simplesmente, é com essa *dor de existir*."[33]

A dor de existir é a dor de estar submetido à determinação do significante, da repetição, e até mesmo do destino.

"Uma espécie de sentimento puro de existir, de existir por assim dizer de um modo indefinido e no seio dessa existência jorrando sempre para ela uma nova existência. [...] A existência sendo apreendida e sentida como algo que, pela sua natureza, só pode se extinguir para sempre jorrar de novo mais tarde, e isso era acompanhado para ela precisamente de uma *dor* intolerável."[34]

Nada é mais intolerável do que a existência reduzida a si mesma, a uma concatenação, a um encadeamento de acontecimentos que se sucedem, me dominam e me arrastam. É aí que o meu desejo de viver se abala.

"A experiência dessa *dor* da existência quando nada mais a habita além dessa própria existência, e quando tudo, no excesso do sofrimento, tende a abolir esse termo inextirpável que é o desejo de viver.[...] Não há nada, no último termo da existência, senão a *dor de existir*."[35]

O desprazer é desejo, mas não é dor.

"E restará, a partir desse modo de conceber, pensar o prazer como necessariamente atravessado por desprazer e distinguir nele o que faz nessa linha de travessia o que separa o puro e simples desprazer, isto é o desejo, daquilo que se chama *dor*. [...] É na medida em que essa superfície [a banda de Moebius] é capaz de atravessar a si mesma, no prolongamento dessa interseção necessária, é aqui que situaremos esse caso de investimento narcísico, a função da *dor*, de outra forma, logicamente, falando propriamente, no texto de Freud, embora admiravelmente elucidado, impensável."[36]

*

Dor e Masoquismo

O masoquismo é o gozo de ser reduzido ao objeto do gozo do Outro.

"... o cúmulo do gozo masoquista não está tanto no fato de que ele se oferece para suportar ou não esta ou aquela *dor* corporal, mas nesse extremo singular [...] da fantasmagoria masoquista, essa anulação propriamente dita do sujeito na medida em que ele se faz puro objeto."[37]

"O masoquismo, efetivamente, se define precisamente pelo fato de que o sujeito assume uma posição de objeto no sentido acentuado que damos a essa palavra, o de um dejeto ou do resto do advento subjetivo."[38]

"... Não há posição sádica que, de certa forma, não se acompanhe, para ser qualificável de propriamente sádica, de uma certa satisfação masoquista."[39]

Referências dos excertos citados

1. "Manuscrit G", in *Naissance de la psychanalyse*, PUF, 1991, p.97.
2. Ibid., p.96.
3. "Deuil et mélancolie", in *Métapsychologie*, Gallimard, 1968, p.162 (© Gallimard).
4. "Le malaise dans la culture", *Oeuvres complètes*, PUF, t.XVIII, 1992, p.288.
5. Ibid., p.311.
6. "Deuil et mélancolie", op. cit., p.167.
7. *L'Angoisse* (seminário inédito), lição de 16 de janeiro de 1963.
8. Ibid., lição de 30 de janeiro de 1963.
9. "Deuil et mélancolie", op. cit, p.148.
10. Ibid., p.148.
11. "Passagèreté", *Oeuvres complètes*, PUF, t.XIII, 1988, p.323.
12. *Les premiers psychanalystes*, Gallimard, 1983, t.IV, p.139 (© Gallimard).
13. *Abrégé de psychanalyse*, PUF, 1985, p.65.
14. "Inhibition, symptôme et angoisse", *Oeuvres complètes*, PUF, t.XVII, 1992, p.286.
15. *Totem et tabou*, Payot, 1965, p.96.
16. Ibid., p.104.
17. "Deuil et mélancolie", op. cit., p.168.
18. "Considérations actuelles sur la guerre et sur la mort", in *Essais de psychanalyse*, Payot, 1981, p.32.
19. "Inhibition, symptôme et angoisse", op. cit., p.286.
20. "Deuil et mélancolie", op. cit., p.169-70.
21. Ibid., p.167.
22. "Le malaise dans la culture", op. cit., p.266.

23. "Inhibition, symptôme et angoisse", op. cit., p.284.
24. Ibid., p.284.
25. Ibid., p.258.
26. "De quelques mécanismes névrotiques dans la jalousie, la paranoïa et l'homosexualité", *Oeuvres complètes*, PUF, t.XVI, 1991, p.87.
27. "Pulsions et destin des pulsions", in *Métapsychologie*, op. cit., p. 27-8.
28. *Trois essais sur la théorie sexuelle*, Gallimard, 1987, p.85 (© Gallimard).
29. *Les premiers psychanalystes*, op. cit., p.139, 6 de novembro de 1912.
30. *Trois essais sur la théorie sexuelle*, op. cit., p.122.
31. "Esquisse d'une psychologie scientifique", in *La naissance de la psychanalyse*, PUF, 1991, p.348.
32. "Esquisse d'une psychologie scientifique", op. cit., p.377.
33. *Les formations de l'inconscient* (seminário inédito), lição de 9 de abril de 1958.
34. *Le désir et son interprétation* (seminário inédito), lição de 10 de dezembro de 1959.
35. Idem.
36. *Problèmes cruciaux de la psychanalyse* (seminário inédito), lição de 10 de março de 1965.
37. *L'Identification* (seminário inédito), lição de 28 de março de 1962.
38. *La logique du fantasme* (seminário inédito), lição de 10 de março de 1967.
39. *Les formations de l'inconscient* (seminário inédito), lição de 2 de fevereiro de 1958.

Indicações Bibliográficas sobre a Dor

FREUD, S.

Sobre a Dor corporal

"Esquisse d'une psychologie scientifique", in *La naissance de la psychanalyse*, PUF, 1991, p.326-7, 338-9, 350 e 352.
L'Interprétation des rêves, PUF, 1987, p.510-1.
"Pour introduire le narcissisme", in *La vie sexuelle*, PUF, 1982, p.88-91.
"Le refoulement", in *Métapsychologie*, Gallimard, 1968, p.46.
"Au-delà du principe de plaisir", in *Essais de psychanalyse*, Payot, 1981, p.71-2.
"Le moi et le ça", in *Essais de psychanalyse,* op. cit., p.234 e 238.
Inhibition, symptôme et angoisse, PUF, 1990, p.54 e 100-2.
Malaise dans la civilisation, PUF, 1979, p.9, 22 e 25.

Sobre a Dor inconsciente

"L'inconscient", in *Métapsychologie,* op. cit., p.84.
"Le moi et le ça", in *Essais de psychanalyse,* op. cit., p.234.
Inhibition, symptôme et angoisse, op. cit., p.100.

Dor e culpa

"Manuscrit G", in *La naissance de la psychanalyse,* op. cit., p.175.
Malaise dans la civilisation, op. cit, p.66.

Sobre a Dor psíquica

"Traitement psychique (Traitement d'âme)", in *Résultats, idées, problèmes*, PUF, t.I, 1988, p.7-8.
Études sur l'hystérie, PUF, 1990, p.71, 132.
"Manuscrit G", in *La naissance de la psychanalyse*, op. cit., p.96-7.
"Esquisse d'une psychologie scientifique", in *La naissance de la psychanalyse*, op. cit., p.327, 338-9, 348, 350, 352, 377 e 390.
L"*Interprétation des rêves*, op. cit., p.515.
Le délire et les rêves dans la Gradiva de Jensen, Gallimard, 1986, p.201.
Les premiers psychanalystes, minutas da Sociedade Psicanalítica de Viena, Gallimard, t.II, 1978, p.439.
Totem et tabou, Payot, 1965, p.96-8 e 104.
"Pour introduire le narcissisme", in *La vie sexuelle*, op. cit., p.88.
"Éphémère destinée", in *Résultats, idées, problèmes*, op. cit., t.I, p.235-6.
"Remémoration, répétition, perlaboration", in *La tecnhique psychanalytique*, PUF, 1985, p.108.
"Deuil et mélancolie", in *Métapsychologie*, op. cit., p.147-9, 167 e 171.
"Complément métapsychologique à la théorie du rêve", in *Métapsychologie*, op. cit., p.140.
"Considérations actuelles sur la guerre et sur la mort", in *Essais de psychanalyse*, op. cit., p.31-2.
Introduction à la psychanalyse, Payot, 1961, p.373.
"Sur quelques mécanismes névrotiques dans la jalousie, la paranoïa et l'homosexualité", in *Névrose, psychose et perversion*, PUF, 1990, p.271.
"Le moi et le ça", in *Essais de psychanalyse*, op. cit., p.238, 240-1.
Inhibition, symptôme et angoisse, op. cit., p.9-10, 54, 57, 99-102.
Sigmund Freud, Ludwig Binswanger, Correspondance, 1908-1938, Calmann-Lévy, 1995, p.280.
Malaise dans la civilisation, op. cit., p.9, 11, 22, 24-5, 52 e 66.
"Moïse, son peuple et la religion monothéiste", in *L'Homme Moïse et la religion monothéiste*, Gallimard, 1986, p.192.

Sobre a Dor sintoma

Études sur l'hystérie, op. cit., p.107-8 e 132.

Carta a Fliess, n.102, in *La naissance de la psychanalyse,* op. cit., p.242.
L'Interprétation des rêves, op. cit., p.102, 103, n.1, 106, 107, 109 e 111.
Psychopathologie de la vie quotidienne, Payot, 1967, p.168.
Le mot d'esprit et sa relation à l'inconscient, Gallimard, 1988, p.361-2.
"Fragment d'une analyse d'hystérie" (Dora) in *Cinq psychanalyses,* PUF, 1989, p.26.
Introduction à la psychanalyse, op. cit., p.368.
Cinq leçons sur la psychanalyse, Payot, 1966, p.16.
Inhibition, symptôme et angoisse, op. cit., p.32.

Sobre a Dor, objeto de perversão sádica e masoquista

L'Interprétation des rêves, op. cit., p.144.
Trois essais sur la théorie de la sexualité, Gallimard, 1962, p.45, 46, 58, 89 e 90.
"Pulsions et destins des pulsions", in *Métapsychologie,* op. cit., p.27-8.
Introduction à la psychanalyse, op. cit., p.286.
"Le problème économique du masochisme", in *Névrose, psychose et perversion,* op. cit., p.287, 289 e 290.
Nouvelles conférences d'introduction à la psychanalyse, Gallimard, 1984, p.140.
Malaise dans la civilisation, op. cit., p.64-5.
Les premiers psychanalystes, Gallimard, t.II, 1967, p.439.
Les premiers psychanalystes, Gallimard, t.IV, 1975, p.139.

LACAN, J.

"Intervention sur l'exposé de D. Lagache: deuil et mélancolie", Société Psychanalytique de Paris, sessão de 25 de maio de 1937, in *Revue Française de Psychanalyse,* 1938, t.X, n.3, p.564-5.
"Some reflections on the Ego", British Psychoanalysis Society (2 de maio de 1951), in *Le Coq Héron,* n.78, p.7, 12.

Le Séminaire, Livre V: *Les Formations de l'inconscient* (seminário inédito), lições dos dias 12 de fevereiro de 1958, 5 de março de 1958, 16 de abril de 1958 e 23 de abril de 1958.

Le Séminaire, Livre VI: *Le Désir et son interprétation* (seminário inédito), lições dos dias 10 de dezembro de 1958 e 17 de dezembro de 1958.

Le Séminaire, Livre VII: *L'Éthique de la psychanalyse*, Le Seuil, 1975, p.73, 74, 97, 129, 280, 303.

Le Séminaire, Livre IX: *L'Identification* (seminário inédito), lição do dia 28 de março de 1962.

"Kant avec Sade", in *Écrits*, Seuil, 1966, p.771, 777-8.

"Hommage fait à Marguerite Duras, du *Ravissement de Lol V. Stein*", in *Ornicar*, n.34, julho-setembro de 1985, p.12.

"La science et la vérité", in *Écrits,* op. cit., p.870.

"Psychanalyse et médecine", La Salpêtrière, 16 de fevereiro de 1966, in *Le Bloc-Notes de la psychanalyse*, 1987, n.7, p.24-5.

Le Séminaire, Livre XIV: *La logique du fantasme* (seminário inédito), lição de 14 de junho de 1967.

Le Séminaire, Livre XVII: *L'Envers de la psychanalyse*, Seuil, 1991, p.89.

"La psychanalyse dans sa référence au rapport sexuel", in *Lacan in Italia. 1953-1978*, Milão, La Salamandra, 1978, p.70.

Le Séminaire, Livre X: *L'Angoisse* (seminário inédito), lições de 28 de novembro de 1962, 16 de janeiro de 1963, 30 de janeiro de 1963 e 3 de julho de 1963.

Télévision, Seuil, 1973, p.37, 38, 39, 41.

ALAJOUANINE, Th. (org.), *La douleur et les douleurs*, Masson, 1957.

ASSOUN, P.-L., "Du sujet de la séparation à l'objet de la douleur", in *Neuropsychiatrie de l'enfance*, 1994, 42, (8-9), p.403-10.

BERNING, von D., "Sigmund Freuds Ansichten über die Entstehung und Bedeutung des Schmerzes", in *Zeitschrift Psychosomatische Medizin*, 1980, 26, 1-11.

BOWLBY, J., *Attachement et perte*, t.I: *L'Attachement*, PUF, 1992.

_____, *Attachement et perte*, t.II: *La séparation, angoisse et colère*, PUF, 1994.

_____, *Attachement et perte*, t.III: *La perte, tristesse et dépression*, PUF, 1994.

BESSON, J.-M., *La douleur*, Odile Jacob, 1992.
BONNET, G., "La souffrance, moteur de l'analyse", in *Psychanalyse à l'université*, 1990, 15, 57, p.75-93.
BRENOT, P., *Les mots de la douleur*, L'Esprit du Temps, 1992.
BUYTENDIJK, F.J.J., *De la douleur*, PUF, 1951.
CANGUILHEM, G., "Les conceptions de R. Leriche", in *Le normal et le pathologique*, PUF, 1952, p.52-60.
CHAR, R., "Recherche de la base et du sommet", in *Oeuvres complètes*, Gallimard, 1983, p.768.
DAMASIO, A.R., *L'Erreur de Descartes*, Odile Jacob, 1995, p.326-34.
DARWIN, Ch., *L'Expression des émotions chez l'homme et chez les animaux*, Complexe, 1981.
DAYAN, M. (org.), *Trauma et devenir psychique*, PUF, 1995.
Deuil (Le), Revue Française de Psychanalyse, PUF, 1994.
DEUTSCH, H., "Absence de douleur", in *La psychanalyse des névroses et autres essais*, Payot, 1970, p.194-202.
DOR, J., *Structure et perversions*, Denoël, 1987.
Douleurs et souffrance, Psychologie clinique, 1990, n.4.
FEDERN, P., *Le moi et la psychose*, PUF, 1979, p.273-85.
FEDIDA, P., *L'Absence*, Gallimard, 1991, p.53-79.
FUNARI, E.A., "Il problema del dolore e dell'angoscia nella teoria psicoanalitica", *Rivista di Psicoanalisi*, 1965, 12, 3, p.267-88.
GADDINI, E., "Seminario sul dolore mentale", *Rivista di Psicoanalisi*, 1978, n.3, p.440-6.
GAUVAIN-PICARD, A., e MEIGNER, M., *La douleur de l'enfant*, Calmann-Lévy, 1993.
GEBEROVICH, F., *Une douleur irrésistible*, Interéditions, 1984.
HANUS, M., *Le deuil dans la vie*, Maloine, 1995.
HASSOUN, J., *La cruauté mélancolique*, Aubier, 1995.
HEGEL, G.W.F., *La phénoménologie de l'esprit*, Aubier, 1941, t.I, p.178.
_____, *Premières publications*, Orphys-Gap, 1964, p.298.
HEIDEGGER, M., *Acheminement vers la parole*, Gallimard, 1978, p.64-8.
KRESS, J.-J., "Le psychiatre devant la souffrance", in *Psychiatrie Française*, 1992, vol.XXIII.
LAPLANCHE, J., e PONTALIS, J.-B., *Vocabulaire de la psychanalyse*, PUF, 1978, p.112.
LERICHE, R., *La chirurgie de la douleur*, Masson, 1940.
LEVY, G. (org.), *La Douleur*, Archives Contemporaines, 1992.
MAINE DE BIRAN, *De l'aperception immédiate*, Vrin, 1963, p.89-106.

MAZET, P., e LEBOVICI, S. (org.), *Mort subite du nourrisson: un deuil impossible*, PUF, 1996.
MELZACK, R., e WALL, P., *Le Défi de la douleur*, Vigot, 1989.
MORRIS, B., *The Culture of Pain*, University of California Press, 1993.
NASIO, J.-D., *L'Hystérie ou l'enfant magnifique de la psychanalyse*, Payot, 1995, p.116-20, 129-32, 137-44.
NIETZSCHE, F., *La généalogie de la morale*, Gallimard, 1971.
NUNBERG, G.H., *Principes de psychanalyse*, PUF, 1957, p.214-9.
POMMIER, G., *L'Exception féminine*, Aubier, 1996, p.205-19.
PONTALIS, J.-B., *Entre le rêve et la douleur*, Gallimard, 1990, p.255-69.
PRIBRAM, K.H. e GILL, M.M., *Le "Projet de psychologie scientifique" de Freud*, PUF, 1989, p.59-65.
QUENEAU, P., e OSTERMANN, G., *Le Médecin, le patient et sa douleur*, Masson, 1993.
RILKE, R.M., *Élégies de Duino*, Garnier-Flammarion, 1992, p.93-101.
SARTRE, J.-P., *L'Être et le néant*, Gallimard, col. "Tel", 1993, p.379-87.
SCHILDER, P., "Notes on the psychopathology of pain in neuroses and psychoses", in *Psycho-Analysis Review*, 18, 1, 1931.
SCHWOB, M., *La douleur*, Flammarion, 1994.
Souffrances, Autrement, fevereiro de 1994, n.142.
SPINOZA, B. de, "L'Éthique", *Oeuvres complètes*, Gallimard, 1954, p.423-5, 526-7.
STECKEL, W., *Technique de la psychothérapie analytique*, Payot, 1950, p.317-47.
SZASZ, T., *Douleur et plaisir*, Payot, 1986.
WEISS, E., "Bodily pain and mental pain", in *The International Journal of Psycho-analysis*, janeiro de 1934, vol.XV, parte I, p.1, 13.

Notas ao Conjunto dos Capítulos

1. Seria necessário lembrar que o relato de uma experiência que vivemos, mesmo o mais fiel, é inevitavelmente uma ficção, a ficção daquele que o escreveu?

2. Um termo que já utilizamos, e que reencontraremos freqüentemente depois, é o de "pulsão". Neste capítulo, nós consideramos como equivalentes "pulsão" e "desejo". Apesar de suas diferenças, preferimos usar esses dois conceitos indistintamente, levando em conta o seu ponto comum essencial, isto é, que eles designam o movimento no inconsciente, ou mais exatamente, toda impulsão que tende imperativamente para descarregar-se e exprimir-se.

3. Lembremo-nos de que é uma dessas representações simbólicas que será fortemente superinvestida pelo eu, quando este tentar defender-se do transtorno pulsional provocado pela perda do amado. Quanto à utilização do termo lacaniano "simbólico", vamos lembrar isto: A dimensão simbólica comporta sempre dois componentes: uma rede de elementos — ditos "significantes" ou "representações inconscientes" — e um elemento único, situado na periferia da rede, que constitui o seu limite e assegura a sua coesão. Esse organizador da rede é batizado por Lacan de "significante do Nome-do-Pai". Ora, como veremos, o ser eleito tem uma dupla existência simbólica: como rede e como "um". É rede simbólica quando afirmamos que a sua pessoa está fixada no nosso inconsciente por uma multidão de representações inconscientes. É limite singular da rede, significante do Nome-do-Pai, quando garante a coerência do meu psiquismo. Veremos brevemente que essa função de limite corresponde ao *ritmo* do batimento do desejo.

4. Essa lente deformante da fantasia foi "fabricada" há muito tempo, desde o nosso primeiro frêmito vital, a partir da primeira troca com o Outro eleito, primordial, a mãe ou o adulto tutelar.

5. "Esquisse d'une psychologie scientifique", in *La naissance de la Psychanalyse*, PUF, 1979. Relendo o "Projeto", veremos que um dos

traços mais impressionantes desse texto fundador é a sua viva atualidade. Uma atualidade confirmada por hipóteses neurocientíficas recentes sobre o trajeto da mensagem dolorosa.

6. O corpo é vivido pelo eu como uma periferia ora externa (pele, mucosas), ora interna (órgãos internos). Para ilustrar a relação entre o eu e o corpo, podemos imaginar o eu como se ele estivesse situado no centro de um espaço cercado por uma banda de Moebius. Essa banda circular representaria o corpo percebido pelo eu como uma borda que, sucessivamente, oferece o seu lado externo (sensações visuais, táteis etc.) e o seu lado interno (sensações internas proprioceptivas).

7. Para clareza da minha demonstração, prefiro utilizar indiferentemente os vocábulos "representações psíquicas", "imagem" e até "símbolo". É verdade que cada um desses termos designa conceitos psicanalíticos diferentes. Todavia, todos eles explicam a presença psíquica do outro no seio do eu. A diferença entre esses conceitos foi largamente tratada em *Enseignement de 7 concepts cruciaux de la psychanalyse*, Payot, 1992, p.143-87.

8. Essas células periféricas, cuja função é perceber as excitações provenientes do mundo exterior, são recobertas por uma camada protetora superficial, que Freud chama de "barreira de proteção", ou "pára-excitações". É precisamente essa camada que se dilacera por ocasião de uma lesão dolorosa.

9. No "Projeto", Freud define o eu, focalizando-se nos neurônios da lembrança. O eu, diz ele, é um estado particular dos neurônios da lembrança, quando, tendo sido sensibilizados por passagens sucessivas de energia (trilhamento), eles são submetidos à regulação da sua excitabilidade e ao controle da quantidade de energia que encerram. O *eu* é o nome de uma instância reguladora da excitabilidade dos neurônios da lembrança e das cargas que os investem.

10. Os neurocientistas não hesitam em supor, como fez Freud, que o homem conheceria a dor graças a uma longínqua memória da espécie. Damasio declara que a sensação dolorosa obedece a "mecanismos neuronais inatos", transmitidos por mensagens genéticas próprias do humano. A dor tomaria um lugar maior nas estratégias de sobrevivência da espécie, geneticamente codificadas. (Damasio, A.R., *L'Erreur de Descartes, la raison des émotions*, Odile Jacob, 1995, p.326-8).

11. Cf.p.45.

12. O conteúdo imaginário da representação, embora sendo de dominante visual, também é auditivo, olfativo, tátil etc.

13. Damasio, A.R., *L'Erreur de Descartes,* op. cit.

14. Freud, S., "Esquisse d'une psychologie scientifique", op. cit., p.319-20.
15. Changeux, J.-P., "Les neurosciences", in *Bulletin de la Société Française de Philosophie*, Armand Colin, 1982.
16. O leitor encontrará na p.173 os dois trechos em que Freud define o prazer e o desprazer segundo os ritmos das pulsões.
17. Cf. "Esquisse", op. cit., p.340-2.
18. Damasio, A.R., *L'Erreur de Descartes*, op. cit., p.296-306 e 329-34.
19. Pierre Benoît já investigou uma inversão possível da célebre fórmula freudiana que faz da conversão histérica um "salto do psíquico para o somático". Cf. o seu artigo "Le saut du psychique au somatique", in *Psychiatrie Française*, n.5, 1985.
20. Maine de Biran, *De l'aperception immédiate*, Vrin, 1963, p.89-106.
21. Nasio, J.-D., lição não publicada aqui, que apresenta particularmente as hipóteses freudianas do "Projeto" sobre a dor corporal. Esses desenvolvimentos foram amplamente retomados no primeiro capítulo do presente livro.
22. Freud, S., "Esquisse d'une psychologie scientifique", in *La naissance de la psychanalyse*, op. cit., p.327 e 333.
23. Freud, S., *Trois essais sur la théorie sexuelle*, Gallimard, 1987.
24. Freud, S., "Le problème économique du masochisme", in *Névrose, psychose et perversion*, PUF, 1990, p.287-97.
25. Freud, S., "Pulsions et destins des pulsions", in *Métapsychologie*, Gallimard, 1968, p.11-43.
26. Freud, S., "Pour introduire le narcissisme", in *La vie sexuelle*, PUF, 1969, p.90.
27. Freud, S., "Pulsions et destins des pulsions", in *Métapsychologie*, op. cit., p.26-8.
28. Freud, S., "Les fantasmes hystériques et leur relation à la bisexualité", in *Névrose, psychose et perversion*, op. cit., p.155.
29. Nasio, J.-D., *A criança magnífica da psicanálise*, Zahar, 1985.
30. Freud, S., "Le moi et le ça", in *Essais de psychanalyse*, Payot, 1981.
31. Freud, S., carta de 15 de outubro de 1897, in *La naissance de la psychanalyse*, p.198.
32. Freud, S., *Trois essais sur la théorie sexuelle*, op. cit., p.133.
33. "Le moi et le ça", op. cit., p.272.

34. *Les premiers psychanalystes*, minutas da Société Psychanalytique de Vienne, Gallimard, t.II, 1978, p.439.

35. Lacan se refere ao teorema de Stockes em "Positions de l'inconscient", in *Écrits*, Seuil, 1966, p.838-9.

36. Lucrécio, *La nature des choses (De natura rerum)*, Arléa, 1995, p.151-92.

37. Freud, S., "Esquisse d'une psychologie scientifique", in *La naissance de la psychanalyse,* op. cit., p.336.

38. Sylvester, D., *L'Art de l'impossible. Entretiens avec Bacon*, Flammarion, 1996.

39. Freud, S., "Deuil et mélancolie", in *Métapsychologie,* op. cit., p.148.

40. Freud, S., "Inhibition, symptôme et angoisse", op. cit., p.98.

41. Freud, S., *L'Interprétation des rêves,* op. cit.

42. Freud, S., "Deuil et mélancolie", op. cit.

43. "Le déclin du complexe d'Oedipe", in *La vie sexuelle,* op. cit., p.117-22.

44. Lacan, J., *L'Angoisse* (seminário inédito), lição de 3 de julho de 1963.

45. Freud, S., "Sur les transpositions des pulsions, particulièrement dans l'érotisme anal", in *La vie sexuelle,* op. cit., p.106-12.

46. Freud, S., "Addenda C", in *Inhibition, symptôme et angoisse,* op. cit., p.98-102.

47. Freud, S., "Manuscrit G", in *La naissance de la psychanalyse,* op. cit., p.96-7.

ÍNDICE GERAL

Clémence ou a travessia da dor, 9

Liminar, 15

Nossa premissa: a dor é um afeto que reflete na consciência as variações extremas da tensão inconsciente, variações que escapam ao princípio de prazer

---

A Dor psíquica, Dor de amar, 23

Quanto mais se ama, mais se sofre — Perder o ser que amamos — O que dói não é perder o ser amado, mas continuar a amá-lo mais do que nunca, mesmo sabendo-o irremediavelmente perdido — O fantasma do amado desaparecido — O amado cujo luto devo realizar é aquele que me satisfaz parcialmente, torna tolerável minha insatisfação e recentra meu desejo — O amor é a presença em fantasia do amado no meu inconsciente — A pessoa do amado — A presença real do amado no meu inconsciente: uma força — A presença simbólica do amado no meu inconsciente: um ritmo — A presença imaginária do amado no meu inconsciente: um espelho interior — A Dor do enlouquecimento pulsional — Resumo das causas da dor psíquica — Quadro comparativo entre a Dor corporal e a Dor psíquica

Arquipélago da Dor, 55

Duas espécies de dores psíquicas — Como se experimenta corporalmente a dor psíquica? — A verdadeira causa da dor está no Isso — A dor inconsciente — Microtraumas e dor inconsciente — Quem é o outro amado? — A pessoa do amado — Aquele que amo é aquele que me limita — Minha fantasia do amado — A dor é a certeza do irreparável — O amado morto é considerado como insubstituível — Amor e dor — Dois modos da dor do luto — O luto é um processo de desamor e a dor do luto é uma pressão de amor — A saudade é uma mistura de amor, dor e gozo: sofro com a ausência do amado, e gozo em oferecer-lhe a minha dor — Luto patológico — "Não quero que minha dor cesse!" — A angústia é uma reação à falta imaginária — Quadro comparativo dos afetos: a dor, o ciúme, a angústia, a culpa, a humilhação narcísica e o ódio

A Dor corporal: uma concepção psicanalítica, 67

A Dor da lesão, 72

A percepção imaginária do ferimento e da dor, e sua representação mental

*

A Dor da comoção, 74

A memória inconsciente da dor — A passagem de uma dor corporal para uma dor inconsciente — Nossa primeira dor — A dor inconsciente não é uma sensação sem consciência, mas um processo estruturado como uma linguagem

A Dor de reagir, 86

Resumo das causas psíquicas da dor corporal — A representação da parte lesada e dolorida do corpo

*

Perguntas e respostas sobre a dor corporal, 94

Psicanálise e neurociências — A memória inconsciente e as neurociências — A Dor psicogênica — A Dor inconsciente — Dor, histeria e psicose

Lições sobre a Dor, 111

Lição I
A Dor, objeto da pulsão sadomasoquista, 115

A Dor é uma das formas de aparecimento da sexualidade na transferência — A Dor inconsciente é uma satisfação sexual — A Dor, um novo objeto da pulsão — A Dor, objeto da fantasia sadomasoquista

*

Lição II
A Dor na reação terapêutica negativa, 130

A estranha necessidade de ser punido — A reação terapêutica negativa: um modelo das formações de objeto a — O salto da libido de uma fantasia inconsciente para a consciência — Devemos distinguir pulsão, fantasia e perversão

*

Lição III
A Dor e o grito, 145

O grito é uma descarga motora — O grito é uma ação que modifica o ambiente — O grito fere o ouvido de quem o emite e se inscreve em sua memória — O grito é uma emanação da dor, mas também o sopro que a atiça — O grito é um apelo ao Outro — O grito é um apelo ao silêncio do vazio

*

Lição IV
A Dor do luto, 158

Luto normal e luto patológico — A identificação da pessoa enlutada com o seu amado desaparecido — A Dor do luto não é dor de separação, mas dor de amor

Excertos das obras de Freud sobre a Dor corporal, precedidos de nossos comentários, 169

A dor corporal — A dor é uma pseudopulsão — O prazer e o desprazer exprimem o ritmo pulsional; a dor, em contrapartida, tal como a definimos, é uma ruptura desse ritmo — A memória da dor — Toda dor é a lembrança de uma dor antiga e toda perda é a reprodução de uma primeira perda já esquecida — A dor inconsciente — A dor corporal se explica pelo superinvestimento da representação mental da parte ferida do corpo — A dor corporal é um excesso de amor pelo órgão lesado, em detrimento dos outros objetos de amor — A dor forma o nosso eu e nos ensina a descobrir o nosso corpo — A dor psicogênica — Dor e gozo

Excertos das obras de Freud e Lacan sobre a Dor psíquica, precedidos de nossos comentários, 181

O que é a dor psíquica? — Nunca estamos tão mal protegidos contra a dor como quando estamos apaixonados — O luto e a dor do luto — A dor psíquica se explica pelo superinvestimento da representação mental do amado perdido — No luto, a dor se mistura ao amor e ao ódio — A pulsão de morte opera no luto — A derradeira dor seria gozar sem limites — O bebê, a angústia e a dor — A angústia da mulher: perder o amor do seu amado — O ciúme é uma variante da dor psíquica — Gozar da dor — A dor e o grito — Dor de existir — Dor e masoquismo

Indicações bibliográficas sobre a Dor, 197

Notas ao conjunto dos capítulos, 205

Índice geral, 211

Coleção Transmissão da Psicanálise

Não Há Relação Sexual
Alain Badiou

Fundamentos da Psicanálise
de Freud a Lacan
(3 volumes)
Marco Antonio Coutinho Jorge

Histeria e Sexualidade
Transexualidade
*Marco Antonio Coutinho Jorge;
Natália Pereira Travassos*

Por Amor a Freud
Hilda Doolittle

A Criança do Espelho
Françoise Dolto e J.-D. Nasio

O Pai e Sua Função em Psicanálise
Joël Dor

Introdução Clínica à
Psicanálise Lacaniana
Bruce Fink

A Psicanálise de Crianças
e o Lugar dos Pais
Alba Flesler

Freud e a Judeidade
Betty Fuks

A Psicanálise e o Religioso
Phillipe Julien

O Que É Loucura?

Simplesmente Bipolar
Darian Leader

5 Lições sobre a
Teoria de Jacques Lacan

9 Lições sobre Arte e Psicanálise

Como Agir com um
Adolescente Difícil?

Como Trabalha um Psicanalista?

A Dor de Amar

A Dor Física

A Fantasia

Os Grandes Casos de Psicose

A Histeria

Introdução à Topologia de Lacan

Introdução às Obras de Freud,
Ferenczi, Groddeck, Klein,
Winnicott, Dolto, Lacan

Lições sobre os 7 Conceitos
Cruciais da Psicanálise

O Livro da Dor e do Amor

O Olhar em Psicanálise

Os Olhos de Laura

Por Que Repetimos os Mesmos Erros?

O Prazer de Ler Freud

Psicossomática

O Silêncio na Psicanálise

Sim, a Psicanálise Cura!
J.-D. Nasio

Guimarães Rosa e a Psicanálise
Tania Rivera

A Análise e o Arquivo

Dicionário amoroso da psicanálise

Em Defesa da Psicanálise

Freud – Mas Por Que Tanto Ódio?

Lacan, a Despeito de Tudo e de Todos

O Paciente, o Terapeuta e o Estado

A Parte Obscura de Nós Mesmos

Retorno à Questão Judaica

Sigmund Freud na sua Época
e em Nosso Tempo
Elisabeth Roudinesco

O Inconsciente a Céu Aberto da Psicose
Colette Soler

1ª EDIÇÃO [1997] 10 reimpressões

ESTA OBRA FOI COMPOSTA POR TOPTEXTOS EDIÇÕES GRÁFICAS
EM TIMES NEW ROMAN E IMPRESSA EM OFSETE PELA
GRÁFICA BARTIRA SOBRE PAPEL ALTA ALVURA DA SUZANO S.A.
PARA A EDITORA SCHWARCZ EM AGOSTO DE 2021

A marca FSC® é a garantia de que a madeira utilizada na fabricação do papel deste livro provém de florestas que foram gerenciadas de maneira ambientalmente correta, socialmente justa e economicamente viável, além de outras fontes de origem controlada.